# 激変する世界で君だけの未来をつくる4つのルール

尾原和啓
OBARA KAZUHIRO

大和書房

世界は今、ものすごいスピードで変化を続けている。
5年後、10年後の世界はどうなっているのか。
残念ながら、それはだれにもわからない。
変化はそれくらい急激で、ときに突発的だ。

だから君は、自分の手で「自分にとっての正解」を見つけなければならない。
それはきっと「自分にとっての幸せ」を見つけることとイコールになるだろう。

この本は「世の中の正解」を教える本ではない。
君が、「自分にとっての正解」を見つけるための大きな指針を示す本だ。
この本を頼りに、自分だけの冒険に踏み出そう。

# はじめに

はじめまして、尾原和啓です。今の僕の肩書きは、ＩＴ批評家です。独立する以前には、ＮＴＴドコモやＧｏｏｇｌｅ（グーグル）、楽天など国内外のたくさんの企業で働いてきました。その数、合計13社。1年の半分ほどは日本に滞在し、残りはシンガポールにある自宅で過ごすか、ヨーロッパなどを周遊。職歴からもわかる通り、やや放浪癖(へき)のある人間でもあるようです。

僕はこれまで、15冊の本を書いてきました。そのどれもが働く世代の人たちが読むビジネス書です。ですが、今回はじめて10代のみなさんに向けて本を書くことにしました。親子ほど歳の離れたみなさんと本を通じて語り合う。僕にとって、新しいチャレンジです。

まずは、なぜ僕がこの本を書こうと思ったかをお話しします。

## はじめに

今、世界は激変の最中にあります。この30年ほどのあいだで、人びとの働き方、価値観、そして生き方、すべてが大きく変化しました。なぜ激変したのか。変化の原動力となったのは、テクノロジーの進化です。インターネット、スマートフォン、ソーシャルメディア（SNS）、人工知能（AI）。そのほかさまざまな新しいテクノロジーの誕生によって、今もなお世界はその姿を変え続けています。

たとえば、みなさんはいつもLINEで友だちと連絡を取りますよね。チャットのやり取りだけでなく、気軽に通話もできる。ビデオオンにして、顔を見ながら話すことだって日常のよくあるひとコマでしょう。

僕が10代の頃はどうだったか。まず、スマートフォンがありません。LINEがないのはもちろん、携帯電話さえなかった。友だちとの連絡は、家の電話か公衆電話。遠くにいる友だちと顔を見ながらおしゃべりするなんて、SF映画の世界でした。

固定電話からスマートフォンへ。音声だけの通話からビデオ通話へ。これが社会をどう変えたのか、見ていきましょう。

## ビデオ通話が変えたもの

僕は今、シンガポールと日本の2つの拠点で生活をしています。日本国内でも、都心と自然豊かな地方など、2拠点生活をする人もずいぶん増えました。その理由は、ネット環境とPCさえあれば、自宅で仕事が完結するようになったから。ビデオ通話システムのおかげですね。コロナ禍では、教育現場にもオンライン授業が持ち込まれ、学校の姿を大きく変えました。

きっと、みなさんが働きはじめる頃には、満員電車に揺られて毎朝出社する、なんてことは過去の常識になっているでしょう。日本の企業に勤めながら、海外で暮らしている人も多いだろうと思います。

このように、ビデオ通話（会議）というテクノロジーの誕生ひとつとっても、人びとの働き方や生活のあり方、つまり人生そのものに大きな変化をもたらしているのです。

技術は日々、想像を超えるスピードで進化しています。そのテクノロジーを原動力にして、僕たちの世界は大きく変わり続けているのです。

## 親世代とは違うゲームのトリセツ

テクノロジーで世界が変わった、それはよくわかりました。「そんなことだれでも知ってるよ」「どの本にも書いてあるよ」という声が聞こえてきそうです。でも、ここでは世界が変わることの意味を、もう少し深く考えてみたいと思います。

**世界が変わるとは、言い換えれば「新しいゲームがはじまった」ということです。**

たとえるなら、『スーパーマリオブラザーズ』の時代が終わって、『マリオカート』の時代がはじまったような。操作するのはマリオやルイージといった同じキャラクターたちですが、画面が横にスクロールする世界から、画面の奥へと進んでいく3Dの世界になります。似ているようでいて、ルールもゴールも遊び方も異なる、まったく別のゲームです。さっきの「満員電車で出社」の時代が終わって、「海外からオンライン出社」の時代がはじまるという話も、わかりやすいゲームチェンジですね。

こうして新しいゲームがはじまったとき、なにより先に求められるのが「新しいトリセツ（取扱説明書、ルールブック）」です。『スーパーマリオブラザーズ』のトリセツはもう役に立ちません。『マリオカート』のルールを教えてくれる、新しいトリセツが必要なのです。

では、今みなさんの周りには新しい時代に必要な、新しいトリセツがあるでしょうか。周りの大人たちはそれを用意してくれているでしょうか。残念ながらそうではありません。大人たちはまだ、目の前の変化についていくのに精一杯で、そこまで手が回っていないからです。

だったら僕が、新しい時代のトリセツをつくろう。これからの時代を生き抜くためのルールブックをつくろう。これが、今回僕がこの本を書くことにした理由です。

## どんな道に進んでも役に立つ指針

近い将来、みなさんはいくつもの「岐路」に立つことになります。高校受験、文理選択、進学か就職か、志望校はどこにするか。ここまで横一列で同級生と進んできた大きな道が終わり、それぞれがバラバラの道を歩みはじめるのです。

「進路とか突然言われても……」と戸惑う人もいるでしょう。当たり前です。10代の知識や経験で、将来を決断するなんて無理難題だと僕も思います。

「将来の夢とかないし、ソコソコで楽しく生きていければいいんだけど」なんて、ちょっと諦めムードの人もいるかもしれません。

「今どき大学に行ったって将来が保証されるわけじゃないし」と親世代の願う将来設計に納得できない人も多いでしょう。

僕は、そんなみなさんに新しい時代のトリセツを、新しいルールブックを手渡したいのです。ルールと言っても、規則としてのルールではなく、「生きるための指針」のようなものだと考えてください。

これまでの世界は、どんなルールで動いてきたのか。そして世界はどんなふうに変わったのか。新しい世界では、なにを頼りに、どこに向かって進んでいけばいいのか。

この本では、僕が考えた「これからの社会を生き抜くための新しいルール」を4つに分けて紹介します。

ルール1 GIVE▼与える人になろう
ルール2 OPINION▼自分の意見を育てよう
ルール3 PARTY▼頼り頼られる仲間をつくろう
ルール4 DIVERSITY▼ちがいを楽しもう

4つのルールの中には、「〇〇すれば勝ち」「〇〇に行けば安泰」といった安易な必勝法や、ずるいテクニックは書かれていません。もっともっと根本的な、生き方そのものに関わるような話ばかりです。

手に取ってくれたみなさんの未来にとって、必ず役に立つものだと思います。ぜひ最後まで、目を通していただけたらうれしいです。

# 目次

激変する世界で
君だけの未来をつくる4つのルール



4つのルールを語る前に

## 世界はどう変わったのか？

ルール 1

GIVE

## 与える人になろう

OPINION

## 自分の意見を育てよう

PARTY

# 頼り頼られる仲間をつくろう

# ちがいを楽しもう

# ４つのルールを語る前に

# 世界はどう変わったのか？

この数十年のあいだ、世界のあり方は大きく変わりました。それに合わせて、世界を生き抜くためのルールもダイナミックに変化しています。

親や先生など大人たちも、世界が変わったことには気づいています。ネットやスマホを使いこなし、それぞれなりのやり方で、変化に対応することもできているでしょう。問題はもっと根本のところ。これまで正しいと信じてきた生き方や働き方、幸せのあり方など、「心」の意識改革ができていないのです。だからいまだに「生き方のルールブック」を改訂するに至っていない。

導入となるこの章では、この数十年で世界がどのように変わり、ルールがどう変わっていったのかをお話ししたいと思います。大人たちが慣れ親しんできた常識(これまでのルール)とはどんなものなのか。今とはなにがちがうのか。一緒に見ていきましょう。

# 1、働き方の変化

およそ30年前まで、日本は「ものづくり大国」でした。経済が右肩上がりに成長を続けていた時代です。車がつくられ、テレビがつくられ、オーディオ機器がつくられた。世の中に「ないもの」を埋めていくことで、社会は豊かになり、企業は成長し、社員も幸せになりました。ものづくりを通じて、みんなが幸せになれる時代だったのです。

ものづくり大国のルールは「良いものを、均質に、安く、早くお客様に届けること」。そのためにひとつのものづくりを追求し、失敗（不良品の生まれる割合）を減らしていくことが重視されました。

そして、会社には終身雇用制度や年功序列と呼ばれるシステムがありました。一度会社に入れば、定年するまで雇用は保障され（終身雇用制度）、年齢を重ねればおのずと給料があがっていく（年功序列制度）。良い企業に勤めていれば、死ぬまで安泰（あんたい）でした。

当時の会社員にとっての働き方のルールはこうです。ミスを減らすため、社内で出世をするために、とにかく自分を「会社に最適化」させる。自分の考えなんてどうでもいい。とにかく会社の考えを自分の考えにして、会社の部品になってしまうのです。会社人間として身を粉にして働き、ひとつの会社で勤め上げることが「成功への一本道」でした。

しかし、この「ものづくり大国」は終焉を迎えます。最大の原因は、世の中に「ないもの」がなくなったから。

おいしい食べ物も、おしゃれな服も、今では低価格で手に入ります。衣食住は満たされ、便利なモノもあふれて、人びとの生活は十分すぎるほどに豊かになった。もう足りないモノ、みんながほしがるモノはないのです。

そうして右肩上がりの経済は打ち止めになりました。人口の減少もはじまり、社会は高齢化。ますます新しいモノが求められないスパイラルに突入します。

また、「死ぬまで安泰」の安心感を生み出していた終身雇用制度も崩壊しました。むしろ現在では、働く人よりも企業のほうが短命です。今の企業の寿命は、平均で23年。一般的な人の勤続年数は40年から50年ほどですから、その半分にも満たない命なのです。

## 転職、独立、副業は当たり前に

こうした変化にともなって、働く人のルールも大きく変化しました。

まず、ひとつめの変化として「働き方の多様化」があげられます。これからは、生涯で複数回の転職をすることが普通になります。企業の寿命が自分の労働寿命の半分くらいしかないのですから、当然ですね。

さらに、転職だけでなく会社に所属せずに独立することも当たり前になるでしょう。なぜなら、インターネットの発展により、ビジネスは個人が主体となっても成立するようになったからです。たとえばAirbnb（エアビーアンドビー）というサービスを使えば、だれでも自分が持っている家（資産）を宿泊客に提供し、報酬を得ることができます。「泊まりたい」というだれかの需要と「貸したい」という自分の供給をインターネットがつないでくれるようになっているのです。このように個人がサービスを提供する事例は、今後も増えていくと思われます。

あるいは、会社員をしながら、リモートワークで個人的に副業をする人も増えるでしょう。実際に、2018年に厚生労働省が定める「モデル就業規則」が改定されたことをきっかけにして、さまざまな企業で副業を解禁する動きが進んでいます。転職、独立、副業が当たり前。むしろ、そうしないと生き残っていけません。「ひとつの会社で身を粉にして働くこと」が当然だったものづくり大国時代とは真逆のルールです。

## 自分で自分の生き方を決める時代

もうひとつ、僕がいちばん大きなルールチェンジだと思っているのは「自分で自分を決める時代になった」ということです。もはや会社は、働く人を守ってはくれません。個人の雇用が保障されないどころか、会社自体が生き残り続ける保証もない。会社から割り振られた役割を全うすればよかったときとちがい、どこで、なにを頑張れば成功するのかもわかりません。国や企業が人生を担保してくれたり、だれかの敷いたレールを

## 働き方の変化

### Before

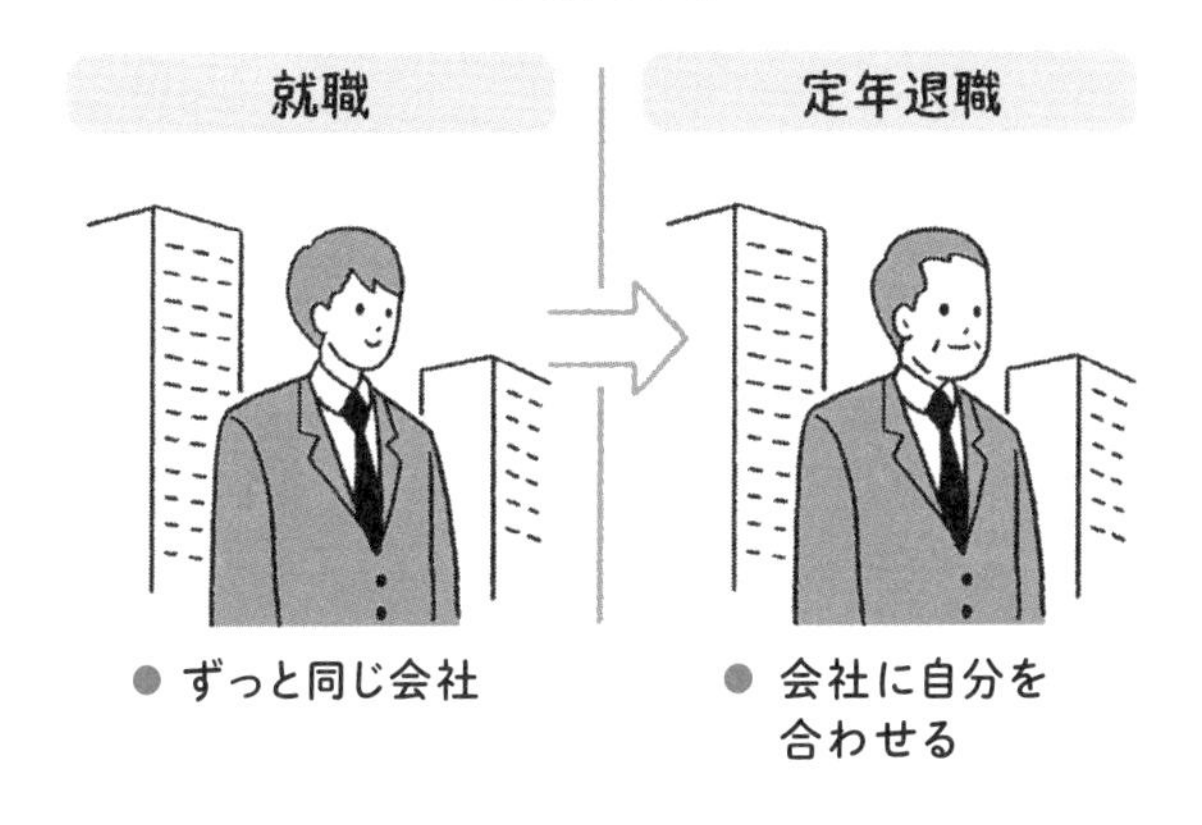


- ずっと同じ会社
- 会社に自分を合わせる

### After

- 複数の職種を経験
- 働き方を自分で決める

走るだけで幸せになれた時代は終わったのです。

海外では、すでにこれらのルールが定着しています。たとえばアメリカでは、２０２２年8月の１ヶ月間で企業を退社した人が４２０万人にのぼりました。労働者全体の２・７パーセントにあたります。つまり、年間で換算すれば、３割ほどの人が離職していることになります。１００人の学年のうち毎年30人が転校していく、と考えたらその数の多さが想像できるのではないでしょうか。また、東南アジアではエンジニアやプログラマーといったＩＴ関連職の需要が非常に高いため、彼らは転職すればするほど給料が高くなると言われています。そのため、ほとんどの人が2年程度の短いスパンで転職をくり返しています。

数年ごとに自ら転職活動を行う人もいますが、多くの人は常に、ＬｉｎｋｅｄＩｎ(リンクトイン)に代表されるビジネス特化型のＳＮＳに履歴書を登録しています。それを見た企業から魅力的なオファー（採用の申し出）が届けば、いつでも前向きに転職を検討する準備を整えているのです。僕がこれまでに13回転職している話も、日本ではとても驚かれますが、アメリカやシンガポールではごく普通のこととして捉えられます。

複数の会社を渡り歩くことが前提。自分で会社を起こすこともできます。みなさんはどんな道を選びますか？　答えは「自分で決める」しかありません。**多様な働き方の中から、自分で自分の働き方を選ぶ。**それが、これからの働く人のルールなのです。

# 2、正解主義から修正主義への変化

先ほど僕は「ないもの」がなくなった、という話をしました。みんなのほしがるモノがなくなってしまい、ものづくり大国が立ちゆかなくなった、と。さらにもうひとつ、大きな時代の流れの中でなくなってしまったものがあります。いったいなんだと思いますか？

〝正解〟です。世の中から、だれにでも当てはまる絶対の〝正解〟がなくなりました。

教育改革実践家で、東京都初の民間人中学校校長となった藤原和博さんは、こんな言葉で時代の変化を説明されています。

「正解主義の時代が終わり、これからは修正主義の時代になる」

## 絶対的な「正解」はなくなった

藤原さんの言う「正解主義」の時代とは、ものごとには絶対的な〝正解〟があって、みんなが一緒にそれを目指していた時代のことです。

2003年に連載が開始された漫画『ドラゴン桜』（三田紀房・講談社）は、2005年にTBSでテレビドラマ化され、たいへんな人気を集めました。「バカとブスこそ東大へ行け！」という過激な決め台詞で、元暴走族の弁護士・桜木建二が、勉強が得意ではない生徒を東京大学受験へ導くストーリーです。このストーリーの前提となっているのは「やりたいことが決まっていないなら、とりあえず東大に行ったほうが、その後の人生が楽になるに決まってる！」という考え。ある意味、東大（＝良い大学）へ入ることが絶対的な〝正解〟だという価値観です。

高校生にとっての〝正解〟は「少しでも偏差値の高い大学に行くこと」。大学生にとっての〝正解〟は「大きな企業に入ること」。会社員にとっての〝正解〟は「失敗せず、無事に定年まで勤め上げること」。家庭においては「結婚して子どもを授かり、マイホームを持つこと」なんかも〝正しい〟幸せの形だとされていました。

でも今、みなさんはこれらを絶対の〝正解〟だと思うでしょうか？

良い大学に入ったから、大きな企業に就職できたからといって、将来どうなるかはわからない。SNSを見れば、結婚していてもしていなくても、幸せそうな人はたくさんいます。マイホームに憧れる人もいれば、まったくそう思わない人もいる。

ちなみに『ドラゴン桜』はシーズン2も発表されています。2018年から漫画の連載がスタートした続編は、2021年にふたたびドラマ化されました。こちらのシーズン2（ドラマ版）では、桜木が何度も生徒たちに「お前が決めろ」と伝えます。そして「東大はただのスタートラインだ」と語り、合格発表の後には「東大に行って目標に突き進むもよし、合格という自信を引っ提げて（東大以外の）新たな夢を探すのもよし」と告げる。東大に入ることがゴールではなく、数ある選択肢のひとつなんだというメッセージが感じられます。シーズン1のドラマから約15年。時代はここまで変わりました。

このように現在は、変化の激しい時代です。昨日までの〝正解〟も、今日には突然不正解になる可能性がある。**つまり、絶対的な〝正解〟なんて存在しない時代**なのです。

## いま必要とされる能力

正解のない時代では、変化に合わせて常に自分を修正していく必要があります。これが藤原さんの言う「修正主義」の時代になったという意味です。藤原さんは、時代の変化を受けて、社会で生きていくために必要な能力も変化したと説明しています。

正解主義の時代には、ジグソーパズルを完成させるような力が必要でした。完成図という〝正解〟が先に示されているジグソーパズルは、それを頼りに、与えられたピースの情報を素早く処理していく能力（情報処理力）が求められます。

一方で、修正主義の時代に必要なのは、レゴブロックを組み立てるような力（情報編集力）です。

たとえばレゴブロックで犬をつくることになったとき、手持ちのブロックをどう組み合わせて、どんな犬をつくるのか。大きさはどれくらいで、犬種はどうするのか。柴犬（しばいぬ）なのか、ブルドッグなのか、それともダックスフントをつくるのか。すべては、つくり手のみんなに委ねられる。
100人の人がつくったら、100通りの犬ができあがるはずだ。
こうやってレゴブロックを組み立てていくような力のことを、ぼくは「情報編集力」と呼んでいるんだ。手持ちのブロック（情報）を組み合わせて、あたらしい答えを生み出していく力。誰かがつくった〝正解〟にたどりつくのではなく、手を使い、足を使い、頭をフル回転させて、自分だけの答えを「編集」していく力。

——藤原和博『たった一度の人生を変える勉強をしよう』（朝日新聞出版）

藤原さんは、こうしてできあがった自分だけの答えのことを「納得解」と呼んでいます。正解があった時代、ものごとは○か×かに分けられました。正解がない今は、不正解か改善かしかありません。修正主義の時代には、その2択をくり返しながら、よりよい「納得解」にたどりつくことを目指す力が必要なのです。

みなさんが生きるこれからの時代、生き方や働き方の〝正解〟はありません。そして**〝正解〟がないということは、自分なりの納得解を常によりよいものへと修正していかなければならない**ということ。みなさんには柔軟に変化する力が求められているのです。

## 正解主義から修正主義へ

### Before

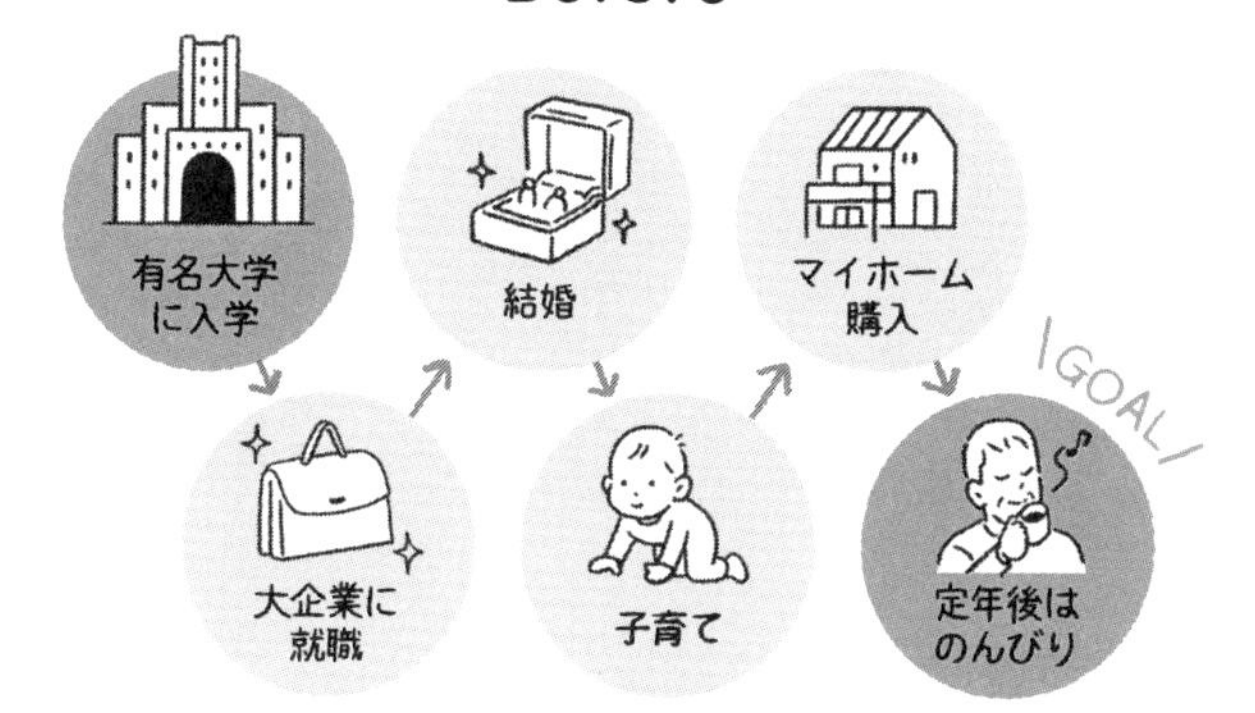


● すごろくのように一本道の「正解」があった

### After

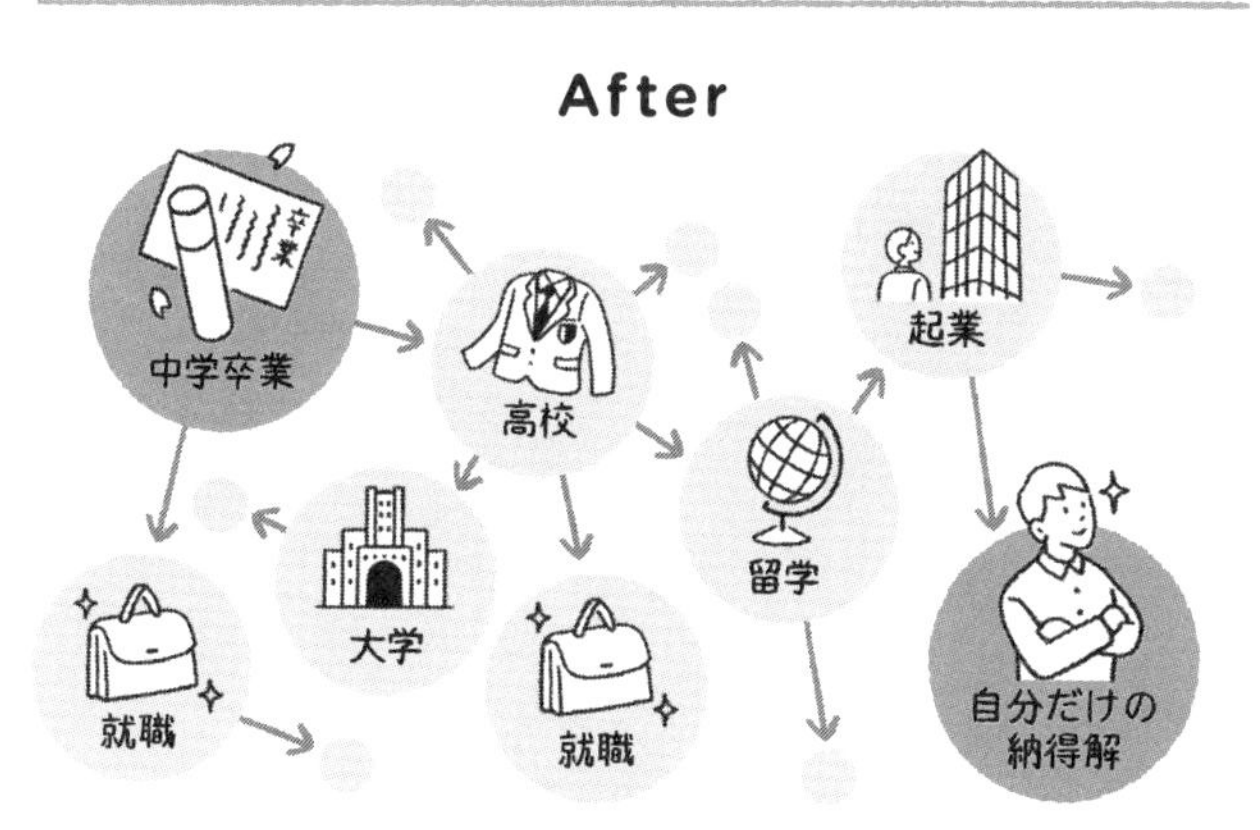


● 自分で選び、納得できる道に修正していく

# 3、価値観の変化

みなさんは、どんなスマホケースを使っていますか？　僕は今、3つのスマホケースを持っていて、気分によってたまに付け替えます。ひとつは好きなブランドの手帳型ケース、ひとつはプレゼントでもらった防水防塵のもの、もうひとつがシンプルな透明のケースです。僕のように気分や用途でケースを気軽に付け替えるという人は多いと思います。

実は、この例には価値観の変化がよく表れています。便利なスマホケースはすでに持っている。新しいスマホケースを買っても、特段機能が良くなるわけじゃない。それでも「自分が心惹かれたから」新しいスマホケースを買うのです。

つまり、今はみんな「役に立つ」以外のところに価値を見いだして、購買行動をとっているということになります。

## 「役に立つ」より「意味がある」

独立研究者で著作家の山口周さんは、コンビニの棚を例にこんな説明をされています。大型スーパーに比べてコンビニは売り場面積がせまいですよね。そのぶん、お菓子の棚もカップ麺の棚も、どの商品を置くのか、メーカーどうしで激しい競争になります。そんなコンビニにおける不思議について、山口さんは鋭く指摘するのです。

CVS（コンビニエンスストア）の棚は極めて厳密に管理されており、商品を棚に置いてもらうことは簡単なことではありません。だからハサミやホチキスなどの文房具はほとんど1種類しか置かれていません。しかし、それで顧客が文句を言うことはありません。

一方で、そのように厳しい棚管理がなされているCVSにおいて、1品目で200種類以上取り揃えられている商品があるのですが、なんだかわかりますか？

タバコです。ハサミやホチキスは1種類しか置かれていない一方で、タバコは

200種類以上が置かれている。なぜそういうことが起きるのかというと、タバコは「役に立たないけど、意味がある」からです。（中略）セブンスターを愛飲している人にとってセブンスターという銘柄は代替不可能なのです。人が感じるストーリーや意味は多様なので、銘柄もまた多様になるわけです。

――山口周『ニュータイプの時代 新時代を生き抜く24の思考・行動様式』（ダイヤモンド社）

機能性があり優れているもの（ハサミ）はひとつあればこと足りる。反対に、機能性ではなくストーリーがあるもの（タバコ）はひとつでなくても構わない。むしろ、非常に多様性が高いのです。さらに、山口さんは「現在の市場においては『役に立つ』ことよりも『意味がある』ことに経済的価値が認められている」といいます。この指摘は、現代人の価値観の変化を端的に示しています。

必要十分な機能を持つスマホケースは、1000円で買うことができます。それひとつで十分役割は果たされる。それでもみんな、デザインちがいのものをいくつも購入しています。中には数万円するブランドものを買う人もいるでしょう。ほかの人にはもったいないと思えても、その人にとっては数万円を支払う「意味がある」からです。

つまり、今は便利で役に立つ「機能」を持った商品よりも、自分らしい毎日を送るうえで、なんらかの「意味」を与えてくれるモノのほうが価値が高くなっているということです。

「役に立つ」が求められた時代から、「意味がある」を求める時代へ変化するあいだには、いくつかのステップがありました。ここからは、人びとの価値観がどう変わっていったのか、その変遷をもう少し細かくふり返ってみます。

戦後、焼け野原になった国に立つ人びとに強くあった欲求は「お腹いっぱい食べたい」「きれいな服を着たい」「安心できる快適な家がほしい」でした。

そして、衣食住の欲が満たされると、次は「便利」を求めるようになります。洗濯機がほしい、エアコンがほしい、テレビがほしい。

どれだけすごい最新の技術であったとしても、後から真似をするのは簡単です。すぐにだれかがコピーして、もっと安い値段で売るようになります。このおかげで「便利」を手にするハードルはぐっと下がり、「便利」の価値はしだいに低下していきました。するると、次に人びとが求めたのは「人よりイケてるもの」でした。便利なモノに、デザインやカラーのバリエーションが増え、文字通りライフスタイルを彩るモノが増えた。ちょうどスマホケースのようなものですね。ＳＮＳの発展も、この傾向が強まった理由のひとつでしょう。ＳＮＳでお互いのライフスタイルが見えるようになったために、人びとの「よりイケてるものを」という欲は強くなっていった。

ですが、今ではすでに「イケてる」という価値軸も不確かなものとなっています。もう10年以上前になりますが、２０１２年にデンマーク生まれの雑貨店「フライングタイガーコペンハーゲン」が日本上陸を果たしたとき、衝撃を受けました。フライングタイガーは、食器や文具、掃除用具などさまざまなアイテムをリーズナブルに提供するお店です。僕が驚いたのは、北欧風の柄やカラーのポップさと、バリエーションの多彩さ、そしてなにより価格です。こんなにかわいくておしゃれなものが、数百円レベルの低価格で手に入る。最近の３ＣＯＩＮＳやダイソーといった日本の雑貨店の進化や人気ぶりを見ていても、同じことを思います。

このことからわかるのは、ぜんぜんお金をかけなくても、だれもが「便利」で「イケてる」生活を送れる時代になったということです。今は「便利」さでも、「イケてる」ことでも差をつけづらい時代になっていると言えるでしょう。

## 今は「自分が好きなもの」に価値を感じる時代

それでは、今はどんなモノに価値が見いだされているのでしょうか。僕たちはどんな基準でモノを選んでいるのか。それは「自分が本当に好きかどうか」です。自分の内側にある「好き」や「気持ちがいい」にしたがって選んだモノだけが、自分を自分らしく彩ってくれる。人びとは今、そこに価値を見いだしているのです。

選ぶ側（消費者）の視点からだけではなく、モノを提供する側の視点からも考えてみましょう。今、消費者に選ばれるためには、どんなモノをつくるべきか。これはつくり手をひとりの人間に置きかえて考えるとわかりやすいかもしれません。

たとえばゴッホ。彼の絵には、今も多くの人が惹きつけられています。それは「あの禍々(まがまが)しくも美しく渦巻く青いパリの空」は、ゴッホにしか見えない世界だからです。彼にしか見えない世界を描き出したものだから、人はあの絵に惹きつけられる。

あるいは、ジブリ映画。ジブリの映画には、宮崎駿(はやお)さんにしか表現できない「空を飛ぶ気持ちよさ」があると僕は思います。映画を通して、宮崎さんが生み出した世界観を感じられるから、公開から数十年経った今でも、多くの人が心惹かれている。

つまり**人は「そこにしかないもの」に価値を感じ、その商品や作品の内側から立ち上(のぼ)ってくる「そのモノらしさ」に惹かれているのです。**

これまでの「便利」「快適」「おしゃれ」「イケてる」というのは、外から観察できる価値でした。外から観察できるということは、簡単に真似できるということでもあります。価値あるモノだったはずが、すぐに後発にコピーされ、価格を下げられる。そうなったら後から出た安いほうが勝つでしょう。

一方、ある一人の中からつくりあげられた強烈な世界観は、だれにも真似することができません。**「意味」の最上級は「その人にしか実現できない」なのです。**

## 人がほしがるものの移り変わり

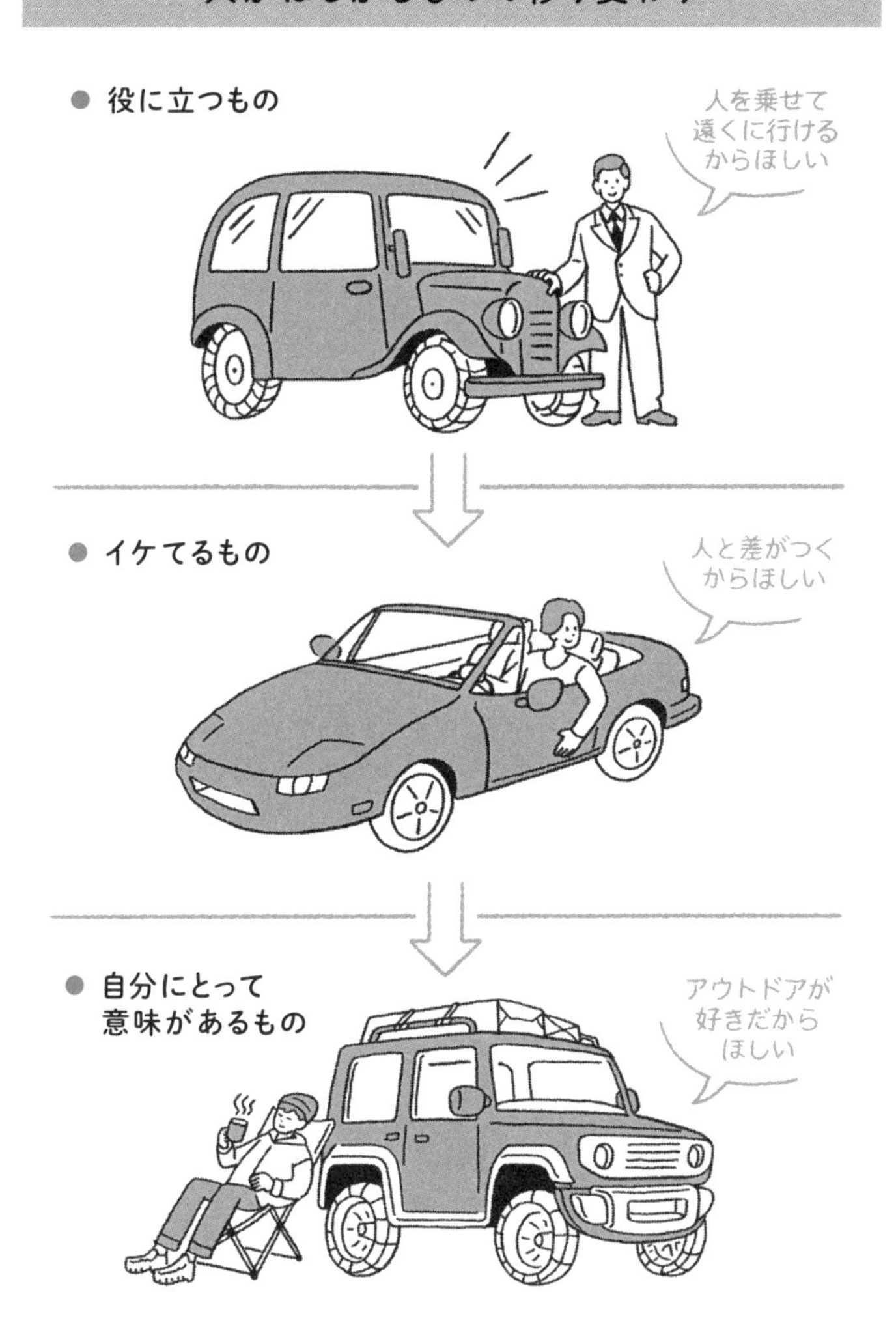

## パクリはすぐにバレる

さらに言えば、今は「本当にその人自身から生み出されたモノ」なのか、「だれかの真似をしているのか」が、簡単に見分けられるようになっています。なぜなら、SNSの発展でだれもが常に発信する世界になったから。人の人生を一時だけの「点」ではなく、「線」でつなぐように観察できる世界になったからです。

みなさんにも身近なYouTuberで考えるとわかりやすいでしょう。たとえば、HIKAKINさん。彼はYouTuberが日本に浸透する前から動画投稿をはじめ、現在1100万人以上の登録者数を誇る日本のトップYouTuberです。3200本を超える動画を投稿しているHIKAKINさんは、今でも動画クリエイターとして自ら企画や編集を行い、体当たりでさまざまなジャンルの動画を制作しています。そしてなにかミスが起きてしまったときには、自分の言葉で誠実に謝罪をしている。

彼の動画からは、彼自身が楽しんで活動していることや、YouTubeという場を心から愛していることが伝わってくると僕は感じます。そうした彼自身から生み出されたこだわりや、本心からの思いが届いているからこそ、長年多くのファンを獲得し続けているのだと思います。

反対に、本当は興味もないのに「流行っているから」と形だけYouTubeをやっている人はどうでしょうか。あるいは、ミスがあってもしっかりと謝罪せず、ひたすら再生回数稼ぎだけを考えている人はどうでしょうか。うわべでは取りつくろえていたとしても、動画をいくつも見ていくうちに、視聴者は必ず違和感を覚えるはずです。「この人の言葉は表面的だ」「人のアイデアをパクってばかりだ」「これまでの人生とつながっていない」そう見抜いた時点で、チャンネル登録を外してしまいます。

今はインターネットによって、人生の記録が残っていく時代です。その人がこれまでの人生をどう生きて、どんな言葉を語り、どんなふうに振る舞ってきたのか。今語っている言葉は本心なのかウソなのか。簡単に見分けられるようになりました。そんな隠しごとの通用しない時代、「相手が本当はどういう思いを持っているのか」がわかるからこそ、僕たちはその思いに共感したり、惹かれたりするのです。

こういった「その人にしか実現できない」「本当の思い」というのは、とても大事な観点です。英語ではこれを**「オーセンティック（authentic）」**と呼びます。辞書では「本物の」とか「信頼できる」という意味ですが、丁寧な言葉で説明するとすれば「この人はこういう場所からきて、こんな道を歩いてきたのだから、これからもずっとこんな道を歩んでいくにちがいない。そう信じられる」ということになります。

今、人びとはオーセンティックなもの（＝その人らしいもの）に価値を見いだしています。なぜなら、役に立つモノではなく、〝意味〟を買っているから。「その人（モノ・企業）に賛同することが自分にとって気持ちがいい」という〝意味〟があるから、お金を払うのです。

最後に、簡単に話をまとめましょう。「役に立つ」モノで周りが埋まった僕たちには「イケてる、イケてない」という価値基準が生まれた。でも、外見的な「イケてる」という価値は、マーケティングされ、コピーされる時代に突入しました。そこで、人びとが選び取るのは、自分の「自分らしさ」を表現するモノや、だれかの「自分らしさ」に共感できるモノになっている。これが、僕たちの価値観をめぐる変遷です。

# 4、幸せの変化

先ほど「正解主義の時代が終わって、修正主義の時代になった」という話をしました。さらに「役に立つより〝意味〟が感じられるモノに価値がある」という話もしました。

この2つに共通しているのは、どちらも「自分にとって」が軸になっていることです。社会的な正解ではなく、自分にとっての納得解。機能としての便利さではなく、自分にとって意味のあるモノ。同様に、**幸せも「自分にとっての幸せ」を追い求めることが、これからのルールなのです。**

「良い大学へ入り、良い会社へ就職して、その会社の中で出世する」「結婚して子どもを育て、マイホームを持つ」。そんな正解をみんなで追い求めた時代とは、まったく異なるルールだと言えます。

「自分にとっての幸せを追い求める」というと、ずいぶん自己中心的な考え方に聞こえるかもしれません。自分本位に、常に自分の幸せだけを考え、自分の好きなことだけをしていればいいのでしょうか。いいえ、そうではありません。

みんなが自分の心にしたがうようになったということは、**「人間の中身を重視する社会になる」**ということだと僕は思っています。

たとえば、どれだけおしゃれで外見が素敵な人だったとしても、SNSを見ればもっとセンスの良い人が見つかるでしょう。どれだけ仕事で役に立つ人だったとしても、機械（AI）の貢献度には勝てないかもしれません。そしてきっと多くの人が、外見が素敵な人や仕事で役に立つ人よりも、自分の心が安らぐ人と一緒にいたいと思うし、自分が好きだと思える人と一緒に働きたいと思うはずです。だって、そのほうが「自分が」幸せを感じられるから。

したがって、**これからの社会を生きていくためには、だれかにとって〝意味〟のある内面をともなった人間でいなければならないのです。**自分のことだけを考えていればいいはずはありません。

## 「社会的能力」から「人間の中身」重視へ

Before

After

## 学校では教えてもらえない、でも必要なこと

僕は、これからの社会は「あなたが好きだから一緒にいたい」という人間関係をベースにしたものになっていくだろうと考えています。ひいては、「あなたが好きだから一緒に仕事をしたい」と思われる信頼関係を築くことが、働くうえでの主軸になっていく。

数値化可能な実務能力よりも、数値化できない人間的な信頼のほうが大切なのです。

必要なのは国語力でも、数学力でも、英語力でもない。**これからみなさんは、自分で自分を「だれかにとって意味のある存在」にしていかなければならないのです。**これはなかなか学校で教えてもらえるものではありません。

では、どうすればそれだけの自分をつくり、他者と信頼関係を築いていくことができるのでしょうか。また、「自分にとっての幸せ」を掴(つか)むためには、どうすればいいのでしょうか。時代背景がわかったところで、ようやく「これからの社会を生き抜くための4つのルール」の登場です。

やや前置きが長くなりましたが、次ページから、第1のルールをご紹介します。

## ルール 1

# 与える人になろう

これからは人間関係をベースにした社会になる。そして、働くうえでは実務能力よりも「あなたが好きだから一緒に仕事をしたい」という信頼関係が軸になっていく。前章ではそんな話をしました。

では、そんな信頼関係を築いていくためには、どうすればいいのでしょうか。

そこで、ひとつめのルールとして紹介するのが、「与える人になろう」です。キーワードはGIVE（ギブ）。これは、人間関係の土台になる、とても大切なルールです。与えるとはどういうことか。だれに、なにを、どんなふうに与えればいいのか。与えることで、どんな得があるのか。ひとつずつお話ししていきたいと思います。

# プレゼントの力

みなさんは、最近だれかに誕生日プレゼントを贈りましたか？　友だちに、恋人に、両親に、きょうだいに。誕生日プレゼントを贈った経験は一度や二度ではないと思います。誕生日以外でも、母の日や父の日に夕飯づくりを引き受けたり、お花を贈ったりしたこともあるでしょう。

どんなプレゼントも、贈る相手のことを想像しながら、「なにをあげたら喜んでくれるかな」と悩んで選んだものだと思います。相手が喜んでくれると、贈った自分までうれしい気持ちになりますよね。

僕は、人間関係の土台をつくるうえで、このプレゼント、つまり**「他者になにかを与えること」が非常に大切**だと思っています。プレゼントするものは、なにも金品に限りません。**たとえば母の日に「いつもありがとう」と感謝の気持ちを伝える。あるいは試合を控えた友だちを「頑張ってね」と励ます。そんな言葉も立派なプレゼントです。**これは大事なところなので覚えておいてください。

さて本書では、こうした「他者になにかを与える行為」のことを「ギブ（ＧＩＶＥ）」と呼びたいと思います。

## 好意・信頼関係の入口には「ギブ」がある

ギブの力について、僕がプレゼントを受け取ったときのことを例に考えてみましょう。

先日、ある友人に5年ぶりに会う機会がありました。そのとき彼が「会社の近くに尾原が好きそうな店があったから、買ってきたんだ」と言ってケーキを手渡してくれたんです。わざわざ手土産を持っていこうと考えてくれたこと、僕の好みを覚えていてくれたこと、自らお店に行き、買ってきてくれたこと、そのすべてがとてもうれしかったです。

だれでも、なにかプレゼントを受け取ると、贈ってくれた相手に感謝の気持ちを抱き、それまで以上に相手のことを好きになるはずです。うれしいのは、モノ（たとえばケーキ）をもらえたからではなく、そこに込められた気持ちをもらえたから。ですから、なにかと励ましてくれたり、感謝の思いを気持ちよく伝えてくれる人がいたとすれば、やはりその人のことを好きになるでしょう。なにかがあったとき、真っ先に相談しようと思い浮かぶ、大切な人になるはずです。

このように、好意やそれにもとづく信頼関係の入口には、いつも「ギブ」があるのです。

## 相手の視点に立つ

それでは具体的に、なにを、どのようにギブしていけばいいのでしょうか。

大切なポイントがひとつあります。それは「相手の視点に立って考えること」。つまり、**自分が贈りたいものではなく、相手が欲しいものを贈ることです。**相手に最大限喜んでもらうためには、相手はどんなものが好きなのか、なにを必要としているのかを理解しなければなりません。

たとえば、シンガポールに住んでいる僕が、日本に住む70代のAさんに、なにか贈りものをしようと考えたとします。Aさんははじめて一緒に仕事をする相手です。

ここで、友人へのプレゼントを選ぶように、便利だからといって最新家電を贈ったり、自分が好きだからといってシンガポールのお菓子を贈ったとしても、きっとAさんを心から喜ばせることはできません。同世代の友人やシンガポールにいる人とAさんとでは、年齢や生活スタイル、好みもまったくちがうからです。

そこで、僕はAさんのSNSの投稿などから、どんなものが好みなのか、最近はまっていることはなにかを調べます。もしくは、Aさんとつながりのある人を探して、普段の生活や仕事の様子をリサーチしたりするでしょう。Aさんの生活で役立ちそうなものは？ 彼が知らなそうなものって？ 普段手に入らないものはなんだろう？ さまざまに思いを巡らせて「最近はお風呂に強い関心があるそうだから、ヴィヒタ（白樺の枝葉を束ねた入浴グッズ）を贈ろう。フィンランド式サウナで使うもので、香りもいいし、健康促進効果があると話したら、興味を持ってくれるかもしれない」とプレゼントを決める。

これが、「相手の視点に立って考える」ということです。

相手の視点に立ったギブをすると、相手の中には「この人は自分のことを考えてくれた」という実績が生まれます。単に「プレゼントをもらってうれしい」以上に、確かな好意が生まれ、信頼の気持ちにつながっていくでしょう。

## 「ギブ→返事」のやりとりで関係を深められる

さらに、ギブをすると、基本的に相手から返事（フィードバック）が返ってきます。「ありがとう」という言葉だけではなく、受け取ったときのリアクションやその後どれくらい使ってくれているのかなども、大切な「返事」です。そうした返事を受けることによって、「相手はなにが好きなのか」がもっと深くわかるようになる。すると、「だれになにを贈ると喜んでもらえそうか」という自分の中のプレゼントの引き出しも増えていきます。

もちろん、望んだ通りの返事をもらえないこともあるでしょう。頑張って相手の視点に立って考えたけれど、相手の心を外してしまった。それでも大丈夫です。「気に入らなかった」という言葉や、既読スルーさえも、参考になる「返事」であることに変わりはありません。そのフィードバックを元に、次は修正すればいいのです。そうやって、やり取りを重ねることで、相手との関係を深めていくことができます。

# 他者へのギブで自分が成長する

みなさんは、街を歩きながらショーウィンドウに並ぶ商品を見て、「これ、あの人が好きそうだな」と足を止めることはありますか？ あるいはＴｉｋＴｏｋを見ながら「これ、あの子が見たら笑ってくれるだろうな」と思ったり。僕はよく海外にいるので、家族と離れて過ごすことが多いのですが、「これは娘が好きそうだな」と思って、写真を撮って連絡することがしょっちゅうあります。

これは、「相手の視点に立つ」が無意識にできている状態です。普段から、自分のためだけに情報を見るのではなくて、だれかの視点からも情報を見ている。そうなると、もともとは触れることがなかったような、自分の関心の外側にある情報にまで目を光らせる（注目する）ようになります。たとえば自分はスイーツが好きではないけれど、スイーツが好きな恋人の視点を手に入れたり。

このように、**相手の視点に立つことは、相手を喜ばせられるだけでなく、自分の視野を広げることにもつながっているのです。**

「視野が広がる」と言うとなんだか抽象的ですが、実際の行動に変化が表れる例だとわかりやすいかもしれません。

たとえば、あなたは母の日に夕飯をつくることにしました。実際にやってみると、料理の難しさと同時に、料理をするまでの過程も大変だと気がつきました。冷蔵庫の中身を見てから献立を考えたり、スーパーから重い荷物を持って帰ったり。だからそれ以来、料理をするのは難しくても、「なにが食べたい？」と聞かれたときには具体的にメニューをリクエストしたり、時間が合えば買い物に同行して荷物持ちをしたりするようになりました。

「母の日に料理をつくる」というギブによって、あなたは「お母さんの視点」を手に入れた。料理という普段しない行動をしたことで、あなたの視野は広がり、行動が変化したのです。

あの人の視点に立って、喜ぶモノを探してギブをする。すると、自分の中にプレゼントの引き出しが増え、自分の視野が広がる。そのサイクルをくり返しているうちに、まったく知らなかった世界にまでたどりついていて、自分が大きく変わっている。こんなふうに、ギブを続けることは自分自身の成長につながる行為なのです。

## 企業もギブで信頼を勝ち取る

他者へのギブによって成長するのは、個人だけではありません。ここで、ギブを続けることで自ら成長し、信頼を勝ち取っていった事例として、ある企業を紹介します。

アメリカに、Zappos.com（以下ザッポス）という会社があります。靴を中心としたアパレルをインターネット上で販売する事業を行っていて、独自の企業文化を持つことでも知られている企業です。

ザッポスには、24時間365日対応の顧客窓口が設置されていて、CLT（カスタマー・ロイヤルティ・チーム）と呼ばれています。ここでは、マニュアルや対応時間の制限を設けておらず、それぞれの問い合わせに対してどんな対応をするかが、スタッフ一人ひとりの判断に任されているそうです。

このCLTは、いくつもの感動の逸話を生んでいます。たとえば、母親を亡くしたばかりの女性が、生前の母に買っていた靴を返品したとき。返送手続きの手配をしてくれただけでなく、やりとり終了後、女性の自宅にお悔やみの花束とカードが届いた。深夜にかかってきた「デリバリーのピザを食べたい」という問い合わせには、近場で注文可能なお店を探し、教えてくれた。

花束を贈ったり、ピザ屋を調べることは、ザッポス本来のサービスではありません。ただ社員がひとりのお客さまを思って実行したこと。相手の視点に立ったギブそのものですね。

そのようなギブの姿勢によって、ザッポスは驚異的な顧客満足度の高さを誇っています。新規顧客のうち「口コミを聞いてザッポスを利用した」という人は43パーセントにのぼり、一度サイトを利用した顧客のリピート率は75パーセント。創業から10年も経たないうちに10億ドル（約1300億円）の売り上げを達成するなど、大きな企業へと急成長していきました。まさしく、ギブの精神が企業自身を成長へと導いた好例だと言えるでしょう。

# ギブの鉄則は「まず自分から」

積極的にギブをすることで、相手と信頼関係を築くきっかけができる。さらには自分の視野が広がり、自分自身が成長することにもつながる。ギブをすることの大切さがおわかりいただけたでしょうか。

しかも僕は、常に「自分が先にギブをする」ことを心がけています。相手のことを無条件に信頼して、先にギブをする。なぜかわかりますか？

その理由は、まず、こちらが信頼している態度を示すと、相手も心を開いてくれることが多いから。そして、自分が成長するチャンスが増えるからです。

日頃から細かなギブを続けていると、他者からの信頼度はどんどん高まります。そうやって積み重なった個人的な「信頼」は、いずれ世間的な「評判」となって周囲（あなたが直接ギブをしていない人たち）にも広がっていくはず。その結果、まわってくるチャンスが多くなるのです。

反対に「先にそっちから出せよ」と出し惜しみする人や、「くれくれ」とねだってばかりの人は、だれからも信頼されません。周囲からの評判を獲得するどころか、目の前の人に心を開いてもらうことも難しいでしょう。

## 自分が持っているものをギブすればいい

ちょっと昔話をさせてください。僕が働きはじめた頃はパソコンが一般家庭に普及する前で、パソコンに慣れている人が職場にまだあまりいませんでした。でも僕は、すでにパソコンが好きで、得意だったんです。入社したばかりの新人にできることなんてほとんどありません。だから僕はとりあえず、会議に出席するたびにパソコンで議事録を取って、会議終了後すぐに参加者へ共有するようにしました。だれに頼まれたわけでもなく、自分の持っている唯一のスキルをギブした、というだけのことです。

しばらくすると「尾原が会議にいると便利だから、こっちの会議にも来てくれ」というろんな会議に呼ばれるようになりました。そうして、ほかの新入社員では仕入れられない情報や知識をゲットするようになり、関わりのなかった先輩社員たちとの関係性を築くきっかけも得ることができました。

そんなふうに少しずつ信頼の貯金を積み重ねていたおかげで、新しいプロジェクトが立ち上がったときに、別の部署の先輩から「入ってみるか」と声をかけてもらって、大きな仕事をすることができたのです。

僕がギブをしたのは、だれにでもできる「議事録を取る」というスキルです。当然、得意なことをしていた僕にとって、ギブをすることによる損（たとえば苦しい思いをしたり）はひとつもありませんでした。

このようにギブは、あくまでも自分にできること、自分が持っているモノで行えばいいのです。苦しい思いなんてしなくても、信頼は貯めることができる。それでいて、ギブによって得られるものはとても大きいのです。

人間関係の土台になる「ギブ」。自分の視野を広げてくれる「ギブ」。自分自身を成長させてくれる「ギブ」。これらはすべて、自分が先に与える姿勢を見せてこそ、生きてくるものだと考えてください。

# 今すぐできる「情報のギブ」

くり返しになりますが、ギブするものは金品に限りません。たとえば父の日に「いつもありがとう」と言うだけでもプレゼントだし、僕の「議事録を取る」のように、自分にできること（スキル）を提供するのも、人を喜ばせられるギブです。

中でも、いちばん簡単にできて、みなさんが今すぐにはじめられるギブがあります。それは「情報」のギブです。

たとえばあなたの友だちが、数学の二次関数でつまずいていたとしましょう。ここで机を並べて手取り足取り教えていくのは大変ですし、難しいですよね。では、**「○○塾の授業動画、めちゃくちゃわかりやすかったよ」とおすすめの動画を紹介する**のはどうでしょうか。これなら簡単にできますし、友だちも気楽に受け取ってくれそうです。も

## 「情報」と呼ばれるものの4段階

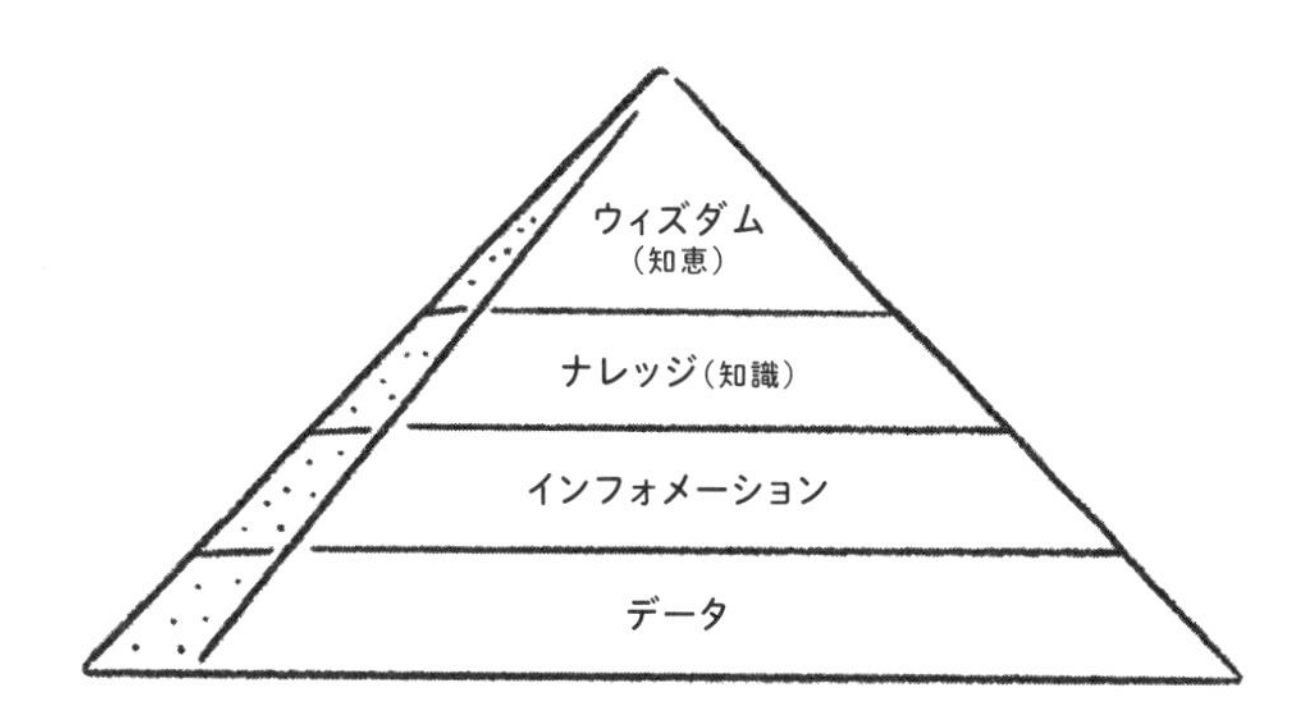


ちろん、お金もかかりません。情報のギブとは、こんなことを指します。

とても大切なところなので、もう少し詳しく説明しましょう。

上の図を見てください。情報と呼ばれるものは、その内容によって4つの段階に分けられます。下からデータ、インフォメーション、ナレッジ（知識）、ウィズダム（知恵）。ちょっと複雑に見えますが、ここで大事なのはデータとインフォメーションのちがいだけ。全部を覚える必要はないので、身構えず聞いてください。

データというのは、簡単に言えば素材のようなものです。個別の事実だったり、数字だったり、記号だったり。実はこうしたものは「情報」とは言えません。これだけでは、相手にとってなんの意味もなさないものだからです。たとえるなら、大きな倉庫の床に、何万冊もの本が乱雑に散らばった状態。知りたい情報をパッと得ることができない、とても使い勝手の悪い知の倉庫です。

一方でインフォメーションというのは、整理整頓されたり、組み立てられたり、カテゴライズされたりして、受け手にとって使い勝手が良いように計算されたもの。これが「情報」です。たとえるなら、本がカテゴリーや出版社ごとに分類され、著者の名前順で並べられた本屋さんです。お客さんにとって必要な本（情報）が簡単に見つかる便利な場所だと思います。

## 線を引いて相手に渡す

では、データではなくインフォメーションをギブするには、具体的にどうすればいいのでしょうか。

それは「線を引くこと」です。教科書の大事なところに蛍光ペンで線を引くように、ギブをする相手にとって大事だと思うところにスーッと印をつける。つまり、**データの中で「相手が着眼するべきところはどこか」がわかるようになると、データはインフォメーションに昇格します。**

先ほどの例で言うと、二次関数につまずく友だちに10本の動画を送るのは「データ」のギブ。どの動画のどの部分を見れば良いのかわからない友だちは、なかなか見る気が起きないでしょう。これでは苦手を克服するための手助けをしたとは言えません。

しかし、友だちの性格や理解度を考慮して、最適だと思う解説動画を1本だけ紹介すると「インフォメーション」のギブになります。それならばすぐに見てみようと実践することができるし、理解が進む可能性も高くなる。

「相手にとって」という文脈でデータをセレクトすることで、インフォメーションのギブができるのです。

ほかにもみなさんの生活の中でありそうな、インフォメーションのギブを考えてみましょう。

たとえば人に漫画をおすすめするとき。「ラジオ好きって言ってたよね。この漫画、ラジオ局が舞台だからぜひ読んでみて」と話す。ただ作品をすすめたり、あらすじを伝えたりするだけでなく「ここがあなたにとって魅力的に映るだろう」とマーカーを引いた、インフォメーションのギブです。

さらに、おすすめの動画を友だちに共有するときに「3分30秒くらいからの話、めちゃくちゃおもしろかったよ！」とコメントを添える。これも立派な「線を引くこと」と言えます。

スマホで手に入る情報に、線を引いて渡すだけでギブになる。こんなふうに聞くと、ギブって案外簡単だと思いませんか。むしろ、いつもの会話の中でみなさんがやっていることと変わらなかったかもしれませんね。普段やっているその「情報のギブ」を、ぜひ少しだけ意識してやってみてほしいと思います。

ちなみに、先ほどのピラミッドの図で登場した、ナレッジとウィズダムについても説明しておきます。ナレッジは関連するインフォメーションどうしをつなげたもの、ウィズダムはインフォメーションを抽象化し相手にとって有益な部分を取り出したものです。上級者編なので覚える必要はありませんが、漫画の例で言うとこうなります。

・**データ**……ただ存在している、たくさんの漫画本を示す

・**インフォメーション**……「この漫画、こういう点で好きだと思うよ」とデータから選んで（＝線を引いて）示す

・**ナレッジ（知識）**……「○○先生の漫画が好きなら、この先生の作品もおすすめ！　○○先生と同じように、派手なバトルが多いところがおもしろいんだよね」と他の漫画とつなげて話す

・**ウィズダム（知恵）**……「あなたが好きじゃないＳＦというジャンルの作品だけど、こういう観点であなたが気に入るかもと思うんだ」と新たな視点を示す

# ギブの量をこなす

最後にもうひとつ、みなさんにおすすめしたいことがあります。それは「ギブの量をこなすこと」。情報のギブなら、いくらやってもコストはかかりません。それに、ギブに対する返事をもらえばもらうほど、自分の中の引き出しは増えてギブが上手になっていく。そしてギブをする相手が増えるほど、新しい視野が手に入ります。

ギブはだれに行っても大丈夫です。むしろ、1回会っただけの人のように関係性が薄い人にするのもいいと思います。

仲の良い友だちにプレゼントを贈るより、歳の離れた人にプレゼントを贈るほうが難しいように、自分との共通点が少ない人にギブをするのは難しいことです。でも、そういう「遠い人」は、より遠くの世界への入口でもあります。**遠くの人へギブをすると、**

**まったく新しい視点がインストールできて、段違いに大きく自分の幅を広げることができるはずです。**

## 僕がみなさんからもらって一番うれしいもの、わかりますか？

たとえば、みなさんにとっての僕は、親ほども年の離れた赤の他人です。いくら相手の視点に立って考えようとしても、肝心の「相手＝尾原和啓」自体が不鮮明ですよね。僕がどんなものをもらったら喜ぶのかなんて、想像するのも難しいでしょう。

ちなみに僕が、みなさんからもらっていちばんうれしいのは、「質問」です。

質問は、立派な情報のギブです。なぜなら、質問とは僕がみなさんへ伝えた話に「ここがわからなかった」とマーカーを引いて返す行為だから。質問することも、立派なインフォメーションのギブにほかなりません。

あるいは、この本を読んでくださった後に、「わたしはここが参考になった」「僕にはここが難しかった」とマーカーを引いてくれることも、うれしい情報のギブです。

**「わたしにとって」という主観をギブすることは、相手に新しい視点や感性を手渡すこ**

とでもあるのです。

こう伝えると「自分の感覚なんておもしろくないから……」と固辞する人がいます。そんなふうに自分を卑下するような言葉を聞くと、僕は悔しく残念な気持ちを覚えます。人それぞれの感じ方に、正解も不正解もありません。僕とみなさんとでは、年齢もちがえば、住んでいるところも、これまで経験してきたこともちがいます。僕とはまったくちがう視点を持っているあなたが引く「おもしろい」「わからない」というマーカーだから、僕にとってはすべて大きな価値があるのです。

どんな人の視点も、他者からみれば「自分とちがう」という価値がある。これはとても大切なことです。だからこそ、関係性の薄い人や自分と遠い人にあなたの主観をギブすることも、まちがいなく相手を喜ばせられる行為なのです。

もう一度お伝えしておきますが、もしも相手に喜んでもらえなかったとしても、その返事を参考にして、修正していけばいいだけです。「自分の感覚なんてたいしたことがない」とか「相手が欲しいものじゃないかもしれない」とおびえずに、自信を持って堂々と、目立つ印をつけて、たくさんのギブを実践してほしいと思います。

ルール
1
GIVE

## まとめ

### ●プレゼントの力

「ギブ」は好意・信頼関係のきっかけになる

### ●相手の視点に立つ

相手がほしいものはなにか？　と考えよう

### ●他者へのギブで自分が成長する

視野が広がり、知らなかった世界にたどりつける

### ●ギブの鉄則は「まず自分から」

相手も心を開いてくれる。信頼が評判につながる

### ●今すぐできる「情報のギブ」

おすすめ動画を送るだけでもギブになる

### ●ギブの量をこなす

1回会っただけの人にもやってみよう！

「GIVE　与える人になろう」というルールは、今も、社会に出てからも変わらず重要な、みなさんの基礎をつくってくれるルールです。さあ、信頼関係の土台が固められたら、次はその上に立つ「自分自身」に目を向けてみましょう。次からは、ふたつめのルール「OPINI-ON　自分の意見を育てよう」を紹介します。

## ルール 2

# 自分の意見を育てよう

「4つのルールを語る前に」で僕がお話ししたことを覚えていますか。「これからの幸せのルールは、『自分にとっての幸せ』を追い求めること」という話です。だれかのつくった幸せではなく、大人たちが押しつける幸せでもなく、自分だけの幸せを探し、手にすること。それがこれからの時代の大原則です。

では、みなさんの考える「自分にとっての幸せ」とは、どんなことでしょう。お金も大事だし、最低限のモノも必要。でも、それだけが幸せというわけではないはずです。……すぐに答えが出てくる質問ではありませんよね。なぜ答えられないのか。それは、幸せそのものの姿が見えていないからではありません。それ以前に「自分」の姿が見えていないから「自分にとっての幸せ」がわからないのです。

自分という人間のことをいちばん知らないのは、意外と自分だったりするものです。たとえば、自分では自分のことをおとなしい人間だと思っている。けれど周りの人からは、自己主張の強い頑固な人間だと思われている。そんな例はよくあります。あるいは、友だちから「よく『なんか』って言ってるよね」と口癖を指摘される。自分ではそんなつもりはなかったのに、指摘を受けてから、自分が会話の中で頻繁(ひんぱん)に「なんか○○だよね」と言っていることに気がつくようになった。

そんなふうに、人に言われてはじめて自分のことがわかった、なんてこともよくある話でしょう。言わば、自分は知っているようでよく知らない、いちばん身近な〝他人〟なのです。

ルール2のキーワードはOPINION(オピニオン)(意見)。「自分の意見を育てよう」というルールを紹介します。

外の世界に目を向ける前に、まずは自分の内側を見つめてみましょう。この章では「自分を知る」ことから話をはじめ、「自分の意見を育てる」ことへと発展させていきたいと思います。

## 幸せ探しの出発点

今、みなさんのほとんどは制服で学校に通っていると思います。最近では日本の学校でも制服廃止の動きがでてきていますが、まだまだ制服を着用する学校が多数派ですよね。

ある意味、制服はとても楽な服装です。悩むことなく、なにも考えずに決められた服を着ていればいい。似合っているとか、おしゃれだとか、そんな個人差もありません。しかし、制服があるのは高校生までです。みなさんが大学に入ったり、社会にでたら、制服はなくなります（一部、制服のある職場もありますが行き帰りは私服ですよね）。

もしも服になんの興味もない人だったなら、制服のない社会にでるのは辛いことかもしれません。毎朝自分の着る服を選ぶのは面倒だし、似合わない服を着ているんじゃないかと不安になることだってあるでしょう。服の数もある程度は必要になります。そうなるとお金もかかるし、買い物に行く手間だって増える。きっと憂鬱な気持ちで「制服のほうがよかったなあ」と学生時代を懐かしむことでしょう。

一方で、ファッションが大好きな人もいますよね。自分の好きな服がたくさんあったり、自分に似合う服装を知っている人ならば、制服のない社会にでると毎日がぐっと楽しくなるでしょう。毎朝クローゼットの前で「今日はなにを着ようかな」とコーディネートを考えるのはわくわくするし、洋服を買いに行くのだって今よりもっと楽しくなるはずです。

こうした**「制服から私服へ」の流れと同じ変化が、日本社会全体でも起きています。**これまでの日本は「みんなと同じ」ことが優先される制服型の社会でした。しかし、これからの世の中は「自分ならでは」の生き方が求められる私服型の社会になります。

そうだとすれば、第一に「自分を知る」必要があります。

「どんな服が流行っているか」を知るよりも、まずは自分の好みを知り、自分に似合う服装を知る。すると、わくわくしながら服を選べるようになって、毎日の生活がずっと楽しくなります。それと同じように、自分はどんな人間なのかを知れば、自分にとっての楽しい生き方を見つけられるでしょう。

**「自分だけの幸せ」探しは、自分を知ることからスタートする**のだと考えてください。

# 〝怒り〟に自分の根幹が表れる

それでは、どうすれば自分を知ることができるのでしょうか。「自分を知る」なんて言うと、ちょっと哲学的な問いに聞こえるかもしれませんね。そこで、みなさんに簡単な質問をしたいと思います。

最近あなたがイラッとしたことはなんですか？

どんなことでも、だれに対しての感情でも構いません。すぐに、いくつかの「イラッ」が思い浮かんだのではないでしょうか。たとえば、お兄さんにテストの相談をしたら、スルーされてゲームの話をはじめられたとき。「ちゃんと話聞いてよ」とイラッとした。もしくは、友だちが約束の時間に30分も遅刻したとき。「もう4回連続なんだけど」とあまりのルーズさにムカついた。

そういう「イラッ」「ムカッ」という感情は、あなたにとって大事なことをないがしろにされたから生まれたものです。自分にとって大事なことを、相手が大事にしてくれなかった。だから自分が損なわれたような、否定されたような気持ちになって、怒りの感情がわくのです。

つまり、**怒りという名のカードをひっくり返せば、その裏側に「あなたにとって大切なこと」が書かれているのです。**話を流されたことにイラついたのは「話を受け止める姿勢」があなたにとって大切なものだということだし、友だちの遅刻にムカつくのは「時間を大切にすること」があなたにとって大事だということ。

「イラッ」「ムカッ」という感情は、いちばんわかりやすい「自分の根幹」なのです。

「自分にとって大切なこと」とは、自分の心の奥深くに根づいている信念のようなもの。当たり前の感覚になっていて、ふだんは意識していないものです。だから、「あなたが大切にしていることはなんですか？」とそのまま質問されても、答えるのが難しい。

## 自分の根幹の見つけ方

怒りポイント ＝ 自分の大切なこと
友人の遅刻に
イラッとした
うら返すと
時間を守る
ことが大事
1
話をスルーされて
ムカッとした
お〜い
うら返すと
話を受け止める
姿勢が大事
うんうん

一方で、「最近あなたがイラッとしたことはなんですか？」という質問は、簡単に答えられるもの。しかも、自分が大切にしていることが表れる質問でもある。

自分のことを知る場合でも、だれかのことを知りたいときでも、役に立つ問いだと思います。ぜひご自身でも考えてみてください。

# 〝好き〟を分けて考える

さあ、「自分が大切にしていること」については知ることができました。ここからは、もっと具体的に自分自身について知っていきましょう。まずはみなさんに、ある考え方を紹介したいと思います。

あなたは今、トマトの苗を持っています。これを日光の当たる場所に置き、水をあげていれば、そのうち赤いトマトが実るでしょう。でも、「おいしいトマト」に育てようと思ったら、もっといろんな工夫が必要になります。

どうすれば「おいしいトマト」を育てることができるのでしょうか。それを考えるには、まずトマトのおいしさとはなんなのかを考えなくてはいけません。おいしいトマトの条件として、一般的に、糖度が高いこと、実が大きいこと、風味が良いこと、皮が薄いことなどがあげられます。

では、それぞれの条件を改善するにはどうすればよいかを考えていきましょう。ひとつめの条件は糖度です。調べていくと、トマトの糖度をあげるには、果実が大きくなる時期に水を多くやることが有効だとわかりました。ふたつめの条件は実の大きさです。トマトの実を大きくするにはどうすればよいのでしょうか。

そんなふうに、それぞれの条件ごとに、どうすれば改善できるのかを考えていきます。肥料、日照時間、水の量、育てるハウス内の温度など、工夫すべきところはたくさんあるでしょう。そうして、やっと「どうすれば普通のトマトが『おいしいトマト』になるのか」への暫定解を手にすることができるのです。

この例では、「おいしいトマト」というぼんやりしたお題から、「糖度の高いトマト」「実の大きなトマト」と条件を分けて、それぞれの改善策を考えていきました。

このように「分けて考える」ことは、とても便利な考え方です。特に、**抽象的で曖昧なものを知りたかったり、漠然とした質問に出会ったときには、まず「分ける」と良いでしょう。すると、問題がシンプルになり、考えやすくなるのです。**たとえば「いちばんすごいアーティスト」を考えるよりも、「いちばん歌が上手いシンガー」「いちばん演奏が上手いバンド」「いちばん人気のあるアイドル」と分けて考えたほうが、話もスムーズですよね。

大きな問いを「なんか難しそう」「よくわかんない」と遠ざけてしまう前に、小さく分解して、取り組みやすくすることをおすすめします。

## 〝好き〟を分解して、共通点を見つけよう

さて、ルール2でみなさんに考えてほしいのは、トマトのことでもアーティストのことでもありません。自分自身について、考えてほしいのです。「自分自身」とは、とても抽象的で漠然としたもの。こういうときにこそ、「分けて考える」は力を発揮します。

先ほどは「ムカつく」という感情をヒントに自分を考えましたよね。ここからは「好き」という感情から、自分をひもといていこうと思います。

あなたの好きなことはなんですか？　心がときめくもの、やっていて楽しいこと、好きな人や好きなキャラクターでも構いません。できるだけたくさん思い浮かべてくださ

い。テニスが好き、食べるのが好き、友だちとカラオケに行くのが好き、明るい人が好き、猫が好き、などなど。

思い浮かべた〝好き〟のうち、ひとつを分解してみましょう。たとえばテニスが好きなら、テニスのなにが好きなのか。自分でプレーするのが好きなのか、観戦するのが好きなのか、テニスのオンラインゲームをするのが好きなのか。

もしもプレーすることが好きだとしたら、その中でもどんなプレーが好きなのかを考えてみます。ラリーを続けて粘り勝ちするときがうれしいのか、相手を左右に揺さぶる駆け引きが好きなのか、スマッシュを決める瞬間が気持ちいいのか。そうすると「自分はテニスの中でも、いつまでもラリーが続くときのドキドキがいちばん好きだ」ということがわかります。

続いて、この分解をほかの〝好き〟に対してもやってみましょう。たとえば、ゲームだったら『マインクラフト』が好きで、時間をかけてこだわりの建造物をつくれるクリエイティブモードが好きだなとか。音楽だったらあのバンドが好きで、特にあの曲をリピートして聴いちゃうなとか。勉強するときは難しい問題にチャレンジするより、教科

ルール
2
OPINION



## 「好き」を分解してみよう

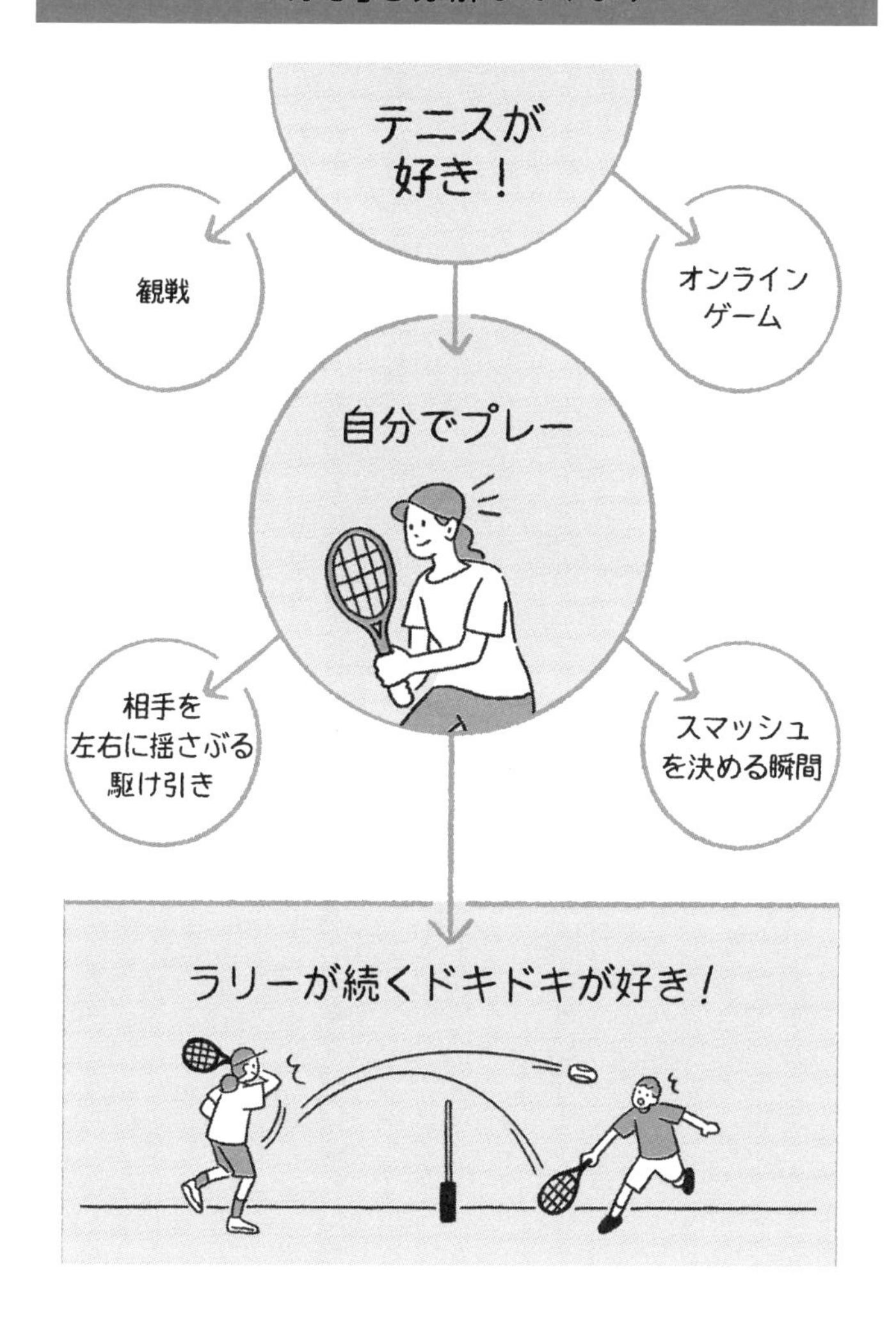
テニスが
好き！
観戦
オンライン
ゲーム
自分でプレー
相手を
左右に揺さぶる
駆け引き
スマッシュ
を決める瞬間
ラリーが続くドキドキが好き！

書を何周も読んで頭に入れるほうが性に合っているなとか。

そうすると、いくつもの〝好き〟の間にぼんやりと共通点が浮かび上がってくるはずです。テニスのラリーに楽しさを覚え、『マインクラフト』が好きな人は、コツコツと長く続けるようなことが好きなのかもしれません。

ここまでわかると、**はじめてのことに向き合う場面でも、自分がどうすれば楽しく過ごせそうかが見えてくるでしょう。**たとえば将来、仕事を選ぶとき。テニスのラリーが好きな人は、気の合う仲間と長く一緒に働ける職場が向いているのかもしれません。一方、テニスのスマッシュを決める瞬間が好きで、『スプラトゥーン』のような対戦アクションゲームが好きな人は、大きな契約を取ってくる営業や企画の仕事に夢中になるかもしれません。

〝好き〟を分解して、その共通点を見つけることで、なにをしていれば自分は楽しいのか、つまり、「どんなことが自分にとって幸せを感じることなのか」が明らかになってくるのです。

# 〝好き〟で努力が娯楽化する

分けて考えることによって、自分のほんとうの〝好き〟が見えてきました。この〝好き〟という感情から、さらに考えを広げていきたいと思います。

みなさん、勉強は好きですか？

国語、数学、英語……。毎日学校で授業を受け、宿題をして、塾へ通い、テストに備える。大変ですよね。「勉強が好きか」は、ほとんどの人が首を横に振る問いだと思います。「学校の勉強ってどうしてしないといけないの？」「数学とかなんの役にも立たないじゃん」と思っている人もいるでしょう。問題集を開いても、15分と集中力が続かない人もいる。

一方、僕は昔から勉強がとても好きでした。特にあらゆる知識を得られる読書が大好きで、今でも何時間でも本を読んでいられます。信じられない、と思われたかもしれませんね。いつも教室で哲学や歴史の本ばかり読んでいた子ども時代は、周りから「変なやつだ」とか「いつも勉強していてすごい」とか言われていました。でも僕に言わせれば、単純に好きだから、その本がおもしろいと思うから夢中になって読んでいただけです。

僕にとっての読書みたいに、みなさんにも「夢中になれる時間」があると思います。たとえば、ゲーム。『フォートナイト』が大好きで、4時間でも5時間でもぶっ通しでプレイし続けられる。自分でプレイするだけでなく、ほかの人がプレイする実況動画をいくつも見たり、インターネットで調べたりして、どうすれば上手くなれるのかを考えているのも楽しい。

しかし、まったくゲームをしない人からしてみれば、何時間もゲームをするのはとても疲れる行為です。そして、上手くなりたいと自ら学び、試行錯誤する姿勢は、立派な「努力」に映るはず。

## 好きなことに没頭したら、「人より得意なこと」ができている

ゲームも、僕の読書も、根底にある動機は変わりません。〃好き〃それだけです。ただ好きだからやっていることなのに、他人から見たら「すごい」「努力していてえらい」という印象になることがあるのです。

経営学者で一橋ビジネススクール教授の楠木建さんは、これを「努力の娯楽化」と呼んでいます。楠木さんの著書から引用します。

どうすれば普通の人々が高水準の努力を持続できるのか。ここに問題の焦点がある。

これに対する僕の答えは、「無努力主義」。これを年来の仕事の原則にしている。僕のこれまでの経験でいえば、「努力しなきゃ……」と思ったことで、仕事として上手くいったことはただの一度もない。「努力しなきゃ……」と思った時点で、そもそも向いていないのである。

ポイントは、それが「努力」かどうかは当事者の主観的認知の問題だということだ。だとしたら、「本人がそれを努力だとは思っていない」、この状態に持ち込むしかない——。これが試行錯誤の末に行き着いた結論である。すなわち「努力の娯楽化」。客観的に見れば大変な努力投入を続けている。しかし当の本人はそれが理屈抜きに好きなので、主観的にはまったく努力だとは思っていない。これが最強の状態だ。

——楠木建『すべては「好き嫌い」から始まる』（文藝春秋）

僕が何時間でも本を読んでいられるように、ある人にとっては大変な「努力」であっても、その「努力」が好きならば、いくらでも時間を費やすことができます。だから、「最強の状態」なのです。同書は、次のように続きます。

とにかく好きなので、誰からも強制されなくても努力をする。呼吸をするように自然に続けられる。（中略）
そのうちに人より上手くなる。上手くなると成果が出る。人に必要とされ、人の役に立つことが実感できる。すると、ますますそれが好きになる。時間を忘れるほどのめり込める。時間だけでなく、我を忘れる。人に認められたいという欲が後退し、仕事そのものに没入する。ますます上手くなる。さらに成果が出る。——この好循環を繰り返すうちに、好きなことが仕事として世の中と折り合いがつき、それが才能として結実する。

**努力が娯楽化し、多くの時間が投資されると、それは必ず「人より得意なこと」になります。**ゲームが好きで、上手くなりたいと「努力」を続けていれば、eスポーツの大会で優勝するほどの実力が身につくかもしれません。もしくは、ゲームのシステムに詳しくなる、なんて「得意」も考えられます。哲学や歴史の本をたくさん読んでいた僕は、ずっと社会科が得意科目でした。

好きなことに没頭することで、いつの間にか努力の娯楽化が起こる。努力が娯楽化すると、楽しいことをしているだけで、「得意なこと」ができていく。

〝好き〟という感情から、あなたの「得意」を育てていくことができるのです。

自分自身を知るには、まず「イライラ」から考え、〝好き〟を分解して、〝好き〟を突き詰めること。

こうして「自分自身」を知ったことは、みなさんがこれから「自分にとっての」幸せや「自分ならでは」の生き方を見つける第一歩です。

これから先、人生の岐路に立って進路に迷うことがあれば、何度でもこのスタートラインに戻ってきてください。きっと、あなたの足元を確かめる助けになると思います。

# あなたも意見を持っている

さて、この章ではずっと「自分を知る」というテーマに沿って話を進めてきました。イライラの裏側に隠れていた、自分が大切にしていること。分けて考えることで見えてきた、自分のほんとうの〝好き〟。〝好き〟から生まれる、自分の得意。ずいぶん自分がわかってきましたね。

ただし、こうやって掘り起こされた「自分」とは、決して「自分そのもの」のことではありません。あくまでも自分の「意見（OPINION）」なのだと考えてください。

「意見」という言葉には、やや偏ったイメージがつきまといます。たとえば、文化祭の出し物を決める話し合いで手を挙げたクラスメイトの姿。ニュースでコメンテーターが話す、環境問題に対する主張。会議でプレゼンされた、新しいプロジェクトの提案。一般に、こうした「意見」を言うときには、周りから「おーっ」と拍手されるようなスゴいことを言わなければならないと思われがちです。

あるいは反対に、意見を言うこと自体、あまり良くないことだと感じている人もいるでしょう。「上級生に意見する」などと使用されるときのように、なにかに反抗するイメージを持つ人もいるはずです。「出る杭は打たれる」なんてことわざもありますよね。

でも、これらはすべて正解ではありません。**「意見」という言葉が表すのは、「あることに対する考え方」**なんです。ですから、「意見」というワードに身構える必要はありません。意見は、人の気持ちを動かす大層な主張でもなければ、だれかへの反抗を表明するものでもない。あなたが生きていて、今なにを感じ、なにを考えているのか。そのすべてが「意見」なのです。つまりあなたが生きているだけで、あなたの意見は形成されている。あなたもすでに、意見を持っているのです。

「自分を知る」ということは、「自分の意見を知る」ことなのだと考えましょう。

じゃあ、どうしてわざわざ「意見」という言葉を使うのか。たとえば「自分を変える」

ことは、とても難しそうに感じますよね。一方「自分の『意見』を変える」だったら、簡単そうな気がします。実際、トマトの苗を「おいしいトマト」に育てることができるように、「自分の意見」もよりよいものに育てることができるのです。

そして僕は、自分の意見を育てるための入口は「だれかの意見を真似すること」だと思っています。

僕がこの話をすると「えっ、だれかの意見を真似するなんて良くないことなんじゃないの？」と疑問を抱く方が大勢います。でも、これも「意見」という言葉が持つ呪縛のひとつなんです。だれかと同じ意見になることなんてしょっちゅうだし、だれかが手を挙げて発した意見に「賛成です」と拍手をするのも、「あなたの意見」なのです。

だれかの意見を参考に自分の意見を塗り替えても良いし、反対方向へ乗り換えても構わない。つまり、意見とはオリジナルでなくても良いし、ずっと変わらないものでもない。**常に人の意見と照らし合わせながら修正していくもの**だと覚えておいてください。

# 人の真似をして、意見を育てる

「守(しゅ)・破(は)・離(り)」という言葉を知っていますか？　茶道や武道など日本の芸術・芸事の修業における段階を示した言葉です。「守」は、師匠や流派の教え、型などを忠実に守り、確実に身につける段階。「破」は、ほかの流派の教えやほかの師についても学び、良いものを取り入れて、心技を発展させる段階。最後の「離」は、ひとつの流派から離れ、独自の新しいものを生み出し確立させる段階のことを指します。

たとえば、ある落語家の師匠のもとに新しい弟子が入門したとします。入ったばかりの弟子は、まず雑用や裏方の仕事を学び、演目を覚えていく。師匠の真似をするのが練習の第一段階です。はじめて覚える演目は『寿限無(じゅげむ)』だとしましょう。生まれた子に長生きしてほしいと考えて、縁起の良い言葉をたくさんくっつけた長い長い名前を付ける、という笑い話です。弟子は『寿限無』を語る師匠の声色に耳を傾け、師匠の表情や動作を観察して、師匠の『寿限無』を学んでいきます。

ひたすら師匠の真似を続けていると、次第(しだい)に「なぜこの台詞は、ゆっくり間を取ってから言うのか」「なぜここで、あんな表情をしたのか」といった理由がだんだんとわかるようになります。そうなると、『寿限無』以外の演目を見ているときでも、「なぜそう表現しているのか」という師匠の考えが浮かぶようになる。

これはつまり、師匠の「大切にしていること(＝意見)」が、弟子の中にも培われたということです。ここまでが「守」の段階になります。

さらに弟子は、師匠以外の高座(こうざ)(舞台)を見学したり、過去の落語家の語り方を研究したりもするでしょう。落語の歴史や、『寿限無』がつくられた背景なども学びます。そうして落語や演目に対する理解を深めていくことで、自分の語りを成長させる。これは「破」の段階です。

師匠の教えを守り、伝統を心に留めた後に、いよいよ「自分が大切にしたいこと(＝自分の意見)」を交えていきます。自分なりの解釈で表現を変えていく。師匠も、過去の落語家たちもだれ一人語ったことのない、自分だけの『寿限無』を完成させるのです。これが「離」の段階。落語家として一人前になり、独り立ちする瞬間でしょう。

学校の部活でもそうです。最初は憧れのキャプテンがやっていることをひたすら真似して（守）、やがて他校の選手やプロ選手のやり方を参考にして（破）、最終的には自分なりのスタイルを確立する（離）。みなさんも無意識にやっていることだと思います。

この「守・破・離」の考え方を、「意見」にもあてはめることができます。「この人の考え方は良いな」「こんなふうになりたいな」と思える人がいたら、それがあなたの師匠です。師匠は何人いても構いません。僕にも、文章についてはこの人、後輩への接し方についてはあの人というように、何人も師匠と慕う人がいます。

師匠を見つけたら、よく観察し、ひたすら師匠の真似をしてみる。すると、いつしか師匠の大切にしていることがわかってきて、師匠に近づくことができるでしょう。つまり、**あなたの意見をよりよく育てることができる**わけです。

そこから、守・破・離の道をたどるように、おのずと新しい「自分が大切にしたいこと」がつくられていきます。つまり、**あなただけの意見が形成されていく**のです。

これが、僕が「人の意見を真似することが『自分の意見』を育てる」と考える理由です。

## 真似するときの注意点

ただし、この「真似して育てる」には、ひとつだけ注意すべきポイントがあります。

それは**「表面的な真似をしてはいけない」**ということ。なにも考えずに表面的な部分だけ真似をしてしまうと、憧れの人の劣化コピーになってしまう可能性があります。

ふたたび落語の師匠と弟子に登場してもらいましょう。師匠は、『寿限無』のあるシーンを、ゆっくり間を取って険しい表情で語ります。それを見た弟子が、単に「間を多く取る」「険しい顔をする」という条件だけを覚えて真似をしたらどうでしょうか。きっといつまで経っても「なぜ間を取るのか」「なぜその表情になったのか」という理由はわかりません。理由もわからずただ真似をするだけでは、仮に『寿限無』を語れるようになったとしても、自分の『寿限無』は生まれない。ほかの演目に応用することもできません。そんなことでは、落語家として一人前になることはできないでしょう。

憧れの人に近づくためには、その人がなにを見て、なにを感じていたのか、どんなふうに考え、どんな理由でその意見に至ったのか、というすべてを理解しなければいけません。たとえば文章の師匠に近づきたければ、その人が読んだことのある本を自分も読んでみたり、その人が習慣にしていることを自分も取り入れたり、という具合です。

つまり、**表に表れる行動だけではなく、その奥にある理由や背景までしっかり観察し、吸収しなければならない**のです。

ひたすら師匠の真似をして、その背景を見つめる。そうすれば、いずれあなたの中にも師匠と同じような意見が形成されていきます。すると、たとえ師匠が出会ったことのない場面であっても、「きっと師匠ならこうするだろう」と判断できるようになるでしょう。そうなってはじめて、「破」や「離」の段階に進むことができる。自分らしさを加え、新しい「自分だけの意見」を育てることができるようになるのです。

# あなたの意見には価値がある

意見の意味、意見の育て方とお話ししてきて、最後にもうひとつ、みなさんにお伝えしておきたいことがあります。それは「あなたの意見には価値がある」ということ。どんなに風変わりな意見であっても、あなたがなにを大切にしていても、あなたの意見にはまぎれもなく価値があります。

「価値」というのは、世界から求められていることを指します。ここで言う「世界」とは、ワールドワイドで大規模なものではなく、家族とか、クラスメイトとか身の回りの範囲のことだと考えてください。つまり、**周りの人にとって役に立つこと、友だちから「ありがとう」と感謝されることが「価値」なのです。**

「人の役に立つことなんてないんだけど……」と尻ごみした人がいるでしょうか。それはちょっと間違った思い込みです。なぜなら「人の役に立つ」って、実はすごく簡単なことだから。

たとえば、ルール1でお話しした僕の「議事録を取る」というスキル。議事録を取ることはだれにでもできることだし、パソコンが得意だった僕にとっては楽なことでさえあった。それでも、当時の周りの人にはできないことだったから、「助かるよ」とたくさん感謝してもらいました。

もしくは、あなたが机にとまった虫を窓の外へ逃がしたとしましょう。虫が好きなあなたにとって、虫を触るのになんの苦労もありません。でも、もし隣の席に虫が苦手な人がいたら「追い出してくれてありがとう」と、あなたに感謝するはずです。

自分にとってはすごく簡単にできる、小さなこと。だけど、それが難しいと感じる人もいる。その差によって、感謝が生まれます。人よりちょっとだけ上手にできるとか、ちょっとだけ早くできるというささいな差で構いません。その差によって、だれかの役に立つことができるのです。

これはつまり、**「みんなとちがうところ」が価値を生む**ということでもあります。

## 人との「差」に注目してみよう

仲の良い家族や気の合う友だちどうしで話していると「わかる、わかる!」と共感できたり、「それ俺も経験ある!」という共通点がいくつも見つかったりしますよね。はじめて会った人どうしでも、通じ合うポイントが多いとうれしくなって、仲が深まるきっかけになったりもする。でも、一緒に過ごしていくうちに「それはわたしとはちがうな」「その気持ちには共感できないかも」と思うところも見つかるでしょう。それは、どんなに親密な関係性でも必ず存在するものです。

そこで「意見がくいちがった」と残念に思うことはありません。むしろ、その「ちがうところ」があることこそ喜ばしいのです。「ちがうところ」があるおかげで、あなたの意見にも相手の意見にも価値が生まれるのですから。

みんなと同じ意見を持つ必要もなければ、「人と意見がちがうかもしれない」と不安に思う必要もありません。どんな意見であっても、「みんなとちがうところ」を持つあなたの意見には、価値があるのです。

ルール
2
OPINION

## まとめ

● 幸せ探しの出発点

自分を知ることからスタートしよう

● "怒り"に自分の根幹が表れる

裏返せば「自分にとって大切なこと」がわかる

● "好き"を分けて考える

「自分が幸せを感じること」に気づこう

● "好き"で努力が娯楽化する

没頭したら「人より得意なこと」ができる

● あなたも意見を持っている

意見とは「あることに対する考え方」

● 人の真似をして、意見を育てる

「守・破・離」の道をたどろう

● あなたの意見には価値がある

「みんなとちがう」ところが人の役に立つ

好き嫌いを入口に、自分という人間を知ることができました。人を真似することで「自分の意見」を育てることができました。「みんなとちがうところ」に価値が生まれるのだと知りました。でも、そうした「ちがい」を知るためには「人とのつながり」が不可欠です。次のルールは「人とのつながり」をテーマに考えていきましょう。

## ルール 3

# 頼り頼られる仲間をつくろう

この本も折り返し地点にさしかかりました。ここで、これまでお話ししてきたことを簡単に復習してみたいと思います。

今の大人が子どもの頃は、だれかが敷いたレールの上を走り、だれかが決めた「幸せ」をみんなで一緒に目指すことが〝正解〟とされていた時代でした。しかし、これからは一人ひとりが「自分にとっての幸せ」や「自分にとっての働き方」を追い求める時代です。人びとは自分にとって「役に立つ人」よりも、自分にとって「意味がある人」、言い換えれば一緒にいて心が安らぐ人や、心から好きだと思える人を選ぶようになっています。

つまり、これからは数値化できる実務能力よりも、数値化できない人間的な信頼が重要な社会になるということです。

そんな社会の変化を踏まえて、ルール1では他者になにかを与える「ギブ」が信頼関係を築くきっかけになること、自分から積極的にギブをすることで自分自身が成長できることをお伝えしました。続くルール2では、自分を知る方法や自分の意見を育てる方法を紹介し、「みんなとちがうところ」にこそ、あなたの人間的な価値があるのだとお伝えしました。きっとみなさんも自分という人間を見つめ直し、これからどう生きていくかを考えてくださったのではないかと思います。

さて、ここからは自分の外側に目を向けていきましょう。どうすれば人とつながりを持つことができるのか。どうすれば人と心地いい関係を築けるのか。ルール3では「人とのつながり」について考えていきたいと思います。この章のキーワードはPARTY(仲間)。「頼り頼られる仲間をつくろう」というルールを紹介します。

# 信頼と信用のちがい

この章で最初に考えたいのは、「信頼」という言葉です。そもそも「信頼」とは、なんなのでしょうか。これまでに何度も登場している言葉ですが、ここで改めてその意味を確認しておきたいと思います。

「信頼」と同じような場面で使われる言葉に「信用」があります。どちらも相手を信じることを指して使われますよね。でも実は、この2つの言葉が持つ意味は大きく異なります。「信用」は「信じて用いる」と書きます。つまり「信じて（その能力を）使うこと」を意味する言葉です。一方、「信頼」は文字通り「信じて頼ること」を意味します。相手のことを信じたうえで、頼りにする。ときには助けてもらう。

こう考えてみると「信用」と「信頼」のちがいがわかりやすくなるのではないでしょうか。信用は「この人なら役に立つだろう」と相手の能力に注目していますが、信頼は

「この人なら助けてくれるだろう」と相手の人間性に注目しているのです。

## 落ち込んだとき、だれに連絡する?

たとえば、みなさんはすごく落ち込んでしまったとき、だれに連絡しますか? 自分のことを昔から知ってくれていて、なんでも話せる幼なじみ。部活でいつも親身になって相談に乗ってくれる先輩。真っ先に思い浮かんだのはそんな人たちではないかと思います。

考えてみれば、幼なじみに相談するよりも、知識や経験を持った大人に相談するほうが、悩みを解決に導いてくれる可能性は高いですよね。それでも、みなさんは幼なじみに連絡をする。どうしてでしょうか。それは、幼なじみなら自分の話を親身になって聞いてくれるだろう、力になってくれるだろうと思ったから。言い換えれば、幼なじみを「信頼」しているから、相談相手に選んだのです。これはまさに「能力ではなく人間性で相手を選んでいる」と言える例です(一方で、大人に相談するのは「信用」の表れでしょう)。

では逆に、よく相談に乗ってもらっている幼なじみが困っていたり、落ち込んでいたらどうするでしょうか。きっとあなたは自分が助けてもらったように、相手を助けたいと思うはずです。自分が相手を頼ったように、相手に頼ってもらえたらうれしい。なぜなら、「頼ってくれた」ということは、相手が自分を信頼してくれている証だからです。

**僕たちは、だれかに頼らなければ生きていくことができません。それと同時にだれかに頼ってもらえる存在でありたいとも思うのです。**つまり、僕たちにはお互いに頼り合える「仲間」が必要なのです。

ここからは、こうした信頼関係に基づくほんとうの仲間のことを「頼り頼られる仲間」と呼びたいと思います。

# 「頼り頼られる仲間」になるために

僕たちには「仲間」が必要。その理由はわかりました。では、仲間になるにはどうすればいいのでしょうか。どうすれば他者と信頼関係を築くことができるのでしょうか。

みなさん覚えていますか？　この問いに対しては、すでに僕の考える答えをお伝えしています。そう、ギブです。ルール1で、信頼関係の入口になるのは「ギブ」だとお話ししました。ここで簡単におさらいしておきましょう。

「ギブ」とは、他者になにかを与えることです。金品に限らず、感謝の言葉や相手が気になる情報を与えることも、相手を喜ばせることができるギブです。ギブのポイントは「相手の視点に立つ」こと。自分があげたいものではなく、相手がほしいものをあげることが大切です。そうして生まれる「自分のことを考えてギブをしてくれた」という実績が、信頼関係のきっかけになります。

もしも、仲間になりたい（=信頼関係を築きたい）と思える相手を見つけたら、その人に向かってギブをしましょう。見返りを求めないギブを積み重ねていくことが、「頼り頼られる仲間」になるいちばん簡単な方法だと思います。

## 「釣り式」と「仕掛け網式」

とはいえ「だれにギブをしたらいいのかわからない」という人もいるかもしれませんね。いったいどうすればいいのでしょうか。

そんなときには、世界に向かって情報のギブをしてください。「世界にギブをする」というのは、目の前にいるだれか一人に対してギブをするのではなく、インターネットを活用するなどして、あてもなくたくさんの人に向かってギブをするという意味です。

ギブの相手が定まっていなくても構わないし、なにより情報のギブはタダですから、だれでも気軽にはじめられます。

たとえば、Ｔｗｉｔｔｅｒで「今日、先生からこんな話を聞いておもしろいと思った」とつぶやく。あるいは、好きなアイドルに関する情報を集めて「来週こんな番組に出演するらしい」とか「あの曲の制作にはこんな秘話があったんだって」と発信するのも良いでしょう。「＃（アイドル名）ファン」のようにハッシュタグを活用するのも良いかもしれません。

インターネットがすごいのは、こうした発信を続けていくと、その情報を求めている人に届くところです。世界へのギブを継続していたら、いずれあなたの元には、その情報を受け取ってうれしいと思った人や、あなたの気持ちに共感した人が集まってきます。彼ら、彼女らはみんな、あなたと共通点を持つ人です。仲間になれる可能性の高い存在だと言えるでしょう。そんな仲間候補が見つかった後は、ぜひ直接的なギブをやってみてください。

具体的に、世界へのギブをしていたら仲間ができたという例を紹介します。

「ＣＯＴＥＮ ＲＡＤＩＯ（コテンラジオ）」という音声配信番組（ポッドキャスト）があります。「歴史を面白く学ぶ」をテーマに、ユーモアを交えて世界の歴史を語る歴史教養番組です。
この番組は、歴史が好きだった深井龍之介さんが、「歴史の知識をデータベース化してみんなに渡せたら、社会はもっと良くなるのでは」と考えたことからはじまりました。スタートは、福岡県田川市から。ほぼ無計画の状態だったそうです。当然、最初はリスナーがほとんどいませんでした。まさに世界（あてもなくたくさんの人）へ向けた情報のギブだったわけですね。

発信を続けていくうちに、歴史好きたちのあいだで評判になり、次第に番組のファンが増えていきました。さらに、現在では「COTEN CREW」という有料のリスナーコミュニティもつくられています。

同時に、企業の経営者たちのあいだでも話題になり、特に深井さんの想いに強く共感した人たちが「ぜひ手伝いたい」と集まってきました。そこで、彼らがゲストとして出演し、自らの経験を歴史と絡めて語る「COTEN RADIO番外編」もスタート。今では、あらゆるジャンルの経営者たちの話を聴くことができる場として、人気を集めています。

このような広がりを経て、福岡からはじまった「COTEN RADIO」は、現在、日本でいちばん聴かれているポッドキャスト番組になっています。

ひとりが世界へのギブをはじめ、それを続けていたら、共感する人びとがどんどん集まってきて、ファンや協力者という仲間ができた。インターネットではこんな実例がたくさん生まれています。

1本の糸を垂らして魚を釣り上げるように、直接的に1人の仲間をつくる方法もあれば、仕掛け網を設置して魚を引き揚げるように、世界にギブをして集まってくる仲間を待つ方法もあるのです。

# 持続的な関係は「NG」から生まれる

みなさんが小学生の頃、夏休みの宿題に日記や絵日記があったと思います。三日坊主で終わってしまい、夏休み終盤に慌ててつじつまを合わせた、なんて経験がある人もたくさんいるのではないでしょうか。日記を毎日継続することは、とても難しいですよね。

人間関係も日記と似たところがあります。だれかと仲良くなることよりも、仲良く居続けることのほうがずっと難しいのです。

では、どうすれば長く持続的な関係性をつくり、仲間で居続けることができるのでしょうか。それは「NGを言い合う」こと。お互いの「ここまではできる」「これ以上はできない」というNGをはっきりさせておくことが、関係性を長続きさせるポイントなのです。

## まず自分を守る。他人はそれから

シンガポールに住んでいることもあり、僕はかなり頻繁に飛行機を利用します。飛行機に乗ると、離陸前に安全に運航するための説明映像（機内安全ビデオ）が流れます。

その中で、酸素マスクの使い方が説明されるのですが、実は、親子連れの乗客がマスクを付ける際、とても大切なルールがあります。それは「子どもよりも先に、親が酸素マスクを付けること」。どんなに小さな子どもと搭乗した場合でも、まずは親から酸素マスクを付け、その後に子どもに付けてあげるように指示があるのです。これは日本の航空会社だけでなく、世界中どの航空会社でも示される鉄則となっています。

不思議ですよね。小さな子どもには、自分で状況を判断して、自分でマスクを装着することができません。なのに、大人が先に付けるよう指示される。まるで子どもを後回しにするような手順です。この鉄則には、どんな理由があるのでしょうか。

逆に、親が自分のマスクを付ける前に、子どもに付けようとした場合を考えてみます。

機内のパニックを察した子どもが泣きじゃくってしまい、マスクを装着するのに時間がかかる。そうこうしているうちに、マスクを付けていなかった親が命を落とす。さらには、自分でマスクを付けることができない子どもまで命を落としてしまう。大いに考えられるシチュエーションでしょう。

我が子を大事に思うからこそ、まずは親の自分が安全を確保する。そうしないと助けられる命さえ助けられなくなってしまうのです。

つまり、酸素マスクのルールが教えているのは、**「だれかの力になるためには、まず自分が無事である必要がある」**という事実です。飛行機の酸素マスクに限らず、どうしても助けたい相手がいるからといって、決して自分を犠牲にしてはいけません。それは親子であろうと、親友であろうと同じです。

自分の酸素マスクを付ける前に、相手のマスクの心配をする必要はない。自己犠牲という言葉は美しいものですが、行き過ぎた自己犠牲は、自分と相手の双方が不幸になる道なのです。

## 途中で「ごめん、やっぱり無理」もあり

ほかの例でも考えてみましょう。

僕は年に数回、それぞれ90日ほどかけて、複数の国を周遊します。その期間はいつもSNSを使って、「今度フランスに行くから、うちに泊めてもいいよって人がいたらぜひメッセージください」と呼びかけるんです。いつも全日程の半分ほどは友人たちの家にやっかいになっています。

あるとき、1週間フランスに滞在すると話すと「じゃあずっとここに泊まってもらって構わないよ」と言ってくれた人がいました。その言葉に甘えて連日宿泊していたのですが、4日目の夕方になって急に「ごめん、ほかの場所に泊まってくれないか」と言われました。

この言葉を、あなたはどう思いますか。約束がちがうと腹を立てるでしょうか。

僕はまったくそうは思いません。だれかからの頼みを一度引き受けたからといって、ずっと面倒を見ないといけないわけではないと思っているからです。**負担が大きすぎる**

**と感じたとき、優先したい都合ができたときには、途中で「ごめん、やっぱり無理だ」と言っても良いのです。**

僕は急いで泊まれるホテルを探し、1時間後には彼と別れました。別れ際に聞いたところ、その日は急にご両親が遊びにくることになったのだそうです。

## 事前にOKとNGのタネをまいておく

なにかを引き受けるときと、断るとき。心の負担が少ないのは引き受けるほうです。だれだって、頼ってくれた相手を前にして、断りの言葉を言うときには心苦しく感じてしまうでしょう。しかし、大切なのは「まず自分の安全を確保すること」。ですから、いちばん良いのは、お互いに気兼ねなくNGを伝え合える関係性を築いておくことだと思います。

それでは具体的に、どうすればそんな関係をつくることができるのでしょうか。これはもう、事前にタネをまいておくのがベストです。つまり、実際に悩みごとや困りごとができる前から、OKとNGを言い合うサインを出しておく。たとえば、「難しいときには断るから、遠慮せずなんでも相談してね」とか、「いろいろ相談することもあると思うけど、無理だと思ったら気軽に断ってね。それで嫌いになったりしないから」と日頃から伝えておくのです。**頼りやすい空気と、断りやすい空気を前もってつくっておく**ことが効果的でしょう。

「断ること」は関係性を壊す一手ではありません。むしろお互いのストレスを減らし、関係を長続きさせるための〝深呼吸〟なのです。

# ほんとうの仲間が5人いればいい

登山家やレスキュー隊の人はみなさん、命綱をつけています。命綱があるからこそ危険をかえりみず、大胆なことができる。しかし、命綱だって切れることがあるかもしれませんよね。そう考えると、たった1本の命綱に自分のすべてをゆだねるというのは、リスクが高すぎる気がします。

だからといって100本の命綱をつけるのも無理があるでしょう。荷物が重くなれば、必然的に歩を進める困難さは増していきます。では、何本の命綱があれば安心して、スムーズに登山したりレスキューにあたることができるのでしょうか。

さて、この本で考えたいことは登山についてではありません。本章では「頼り頼られる仲間」について考えていましたね。

ここで、人生を登山にたとえて考えてみたいと思います。みなさんは、人生という登山において、何本の命綱が必要だと思いますか？

人生の命綱が1本、つまり頼ることができる仲間がひとりしかいない場合、あなたは人生におけるすべての場面で、そのひとりを頼ることになります。これでは、その人との関係が切れてしまったり、その人からの助けが得られなかったとき、あなたは為す術なく谷底へと落下していくしかありません。あまりにもリスクが大きすぎます。たとえどんなに信頼できる仲間だとしても、**命綱をその1本しか持たないのはとても危険**です。

逆に、あなたがだれかにとって唯一の命綱だった場合はどうでしょう。あなたは「この人にはわたししか頼る人がいない！」と強く思うはずです。すると、NGを言い出せなくなって、自分を犠牲にしてでも助けようとするかもしれません。結果的にあなたという命綱が切れてしまい、ふたり一緒に山から転がり落ちてしまうでしょう。たとえどんなに大切な仲間であっても、**相手のすべてを請け負う必要はない**のです。

では、人生には何本の命綱があればいいのでしょうか？

僕は、5人くらいの仲間がいれば安心できるのではないかと思っています。5本の命綱があれば、もしも1本が切れてしまったとしても、まだ4本の命綱は残っている。4本もあれば、十分自分を支えてもらえそうな気がしませんか。これが3本の命綱だったら、1本切れるだけで残り2本になる。なんとなく心許ないものです。だから僕は、5人の「心から信頼できる仲間」がいれば、人生という登山をクリアすることができると思っているのです。

5人という数を、いかにも少なく感じた方も多いでしょう。SNS全盛のこの時代、知り合いや友だちの数は可視化され、フォロワーの多さで人の価値をはかるような風潮があるのは事実です。大人たちの中には「とにかく人脈が大事だ」と語り、知り合う人数を増やすことに力点を置く人もいます。でも僕は、そんな考え方は嫌いです。

そもそも、ここで問題にしているのは「頼り頼られる仲間」のこと。自分の「命綱」になってくれるようなほんとうの仲間のことです。だったら、**数の多さを求めるよりも質の高さ、つまり信頼関係の深さを求めたほうが良い。**そして質を求めるのであれば、

5人もいれば十分だ、というのが僕の考えです。

## 仲間の更新は必ず起きる

人生における仲間について、登山の命綱にたとえて考えてきましたが、登山と人生ではまったくちがう部分もあります。

登山では、入山してしまったら持ち物を入れ替えることはできません。途中で命綱を増やすことも、手放すこともできない。

一方、人生は、その段階によって仲間を新しくしていくものです。なぜなら、みなさんは生きて成長していて、常に変化を続けているから。たとえば15歳のときと、50歳のときとでは、あなたが頼りにする相手も、あなたを頼ってくる相手もちがいます。これはみなさんにも当たり前のこととして想像できるのではないでしょうか。

広島で生まれた人が、18歳で東京の大学へ行き、そのまま東京で就職をする。さらに30歳になって大阪へ転勤になる。こんな変化はよくあることです。もしくは30歳のときは東京の食品メーカーで働いていた人が、50歳になったときにはイタリアで日本食レストランを経営していることだってあるでしょう。これからは社会の変化が激しい時代ですから、もっと短い期間でもっと大きな変化が起こることもあるかもしれません。本書の冒頭でもお話ししたように、僕はこれまでに13回の転職を経験しています。

もちろん仲間の中には、「小学校からの幼なじみ」のように遠く離れていても、職種がちがっても、支え合い続けられる仲間もいます。とても大切な存在ですし、ずっと大事にすべき仲間だと思います。でも、それとは別に、新しい土地で暮らしはじめたら、近くで頼りにしたい人にも出会うでしょうし、新しい仕事をはじめたら、その仕事について相談したいと思う人も現れるでしょう。仲間の更新は、人生の段階によって必ず起きるものなのです。

# 頼り頼られるグループをつくる

ここまで「頼り頼られる仲間」について、個人と個人、1対1の関係の中で考えてきました。これを、今度は集団の単位で考えてみましょう。つまり「頼り頼られるグループ」です。

たとえば、あなたの家で柴犬を飼っているとします。家族みんなで旅行に行きたいのですが、そうすると彼のごはんや散歩といったお世話をする人がいなくなってしまう。そこであなたのお父さんは、近所に住む愛犬家仲間6人が参加するグループLINEに「来週3日間家族で旅行に行くから、だれかうちの子を預かってくれない？」と頼みます。すると「ごめん、仕事が忙しいから難しそう」「1日ならいいんだけど……」「来週は予定が少ないし、大丈夫だよ！」とバラバラの返事があるでしょう。そして、頼み

### 「助けて」も「ごめん、ムリ！」も言いやすくなる

を引き受けてくれた人に犬を預けて、安心して旅行に行くことができる。

こんなふうに、**グループ単位で頼り頼られる関係性ができていると、助けがマッチングしやすいし、断る側も断りやすくなります。**それがわかっていれば、「助けて」と頼ることも簡単になる。より持続的な「頼り頼られる関係性」が生まれるのです。

「〝頼られる〟相手も増えるんだから、自分が大変になるのでは？」と不安の声が届きそうですが、それはちがいます。だれかを助けるのに必要な労力がメンバー内で分散されるので、一人あたりの協力は少しで済むようになります。それに、それぞれのメンバーにとってのNG、つまり苦手なこ

とや都合が悪い時間をみんなで補い合えばいいのですから、自分にできないことまで引き受ける必要もありません。長期的に見て、一人ひとりの大変さが増えることはないでしょう。

## グループなら気軽で長続きしやすい

実は、昔から日本の農村では、この「グループ単位での頼り頼られる関係性」が制度として実践されてきました。「結(ゆい)」と呼ばれるものです。

たとえば、田植え。田植機がなく、手作業で行っていた時代は、田植えはとにかく人手のいる大変な作業でした。そこで、複数の農家でグループを組み、協力して行っていたのです。今日はAさんの田んぼ、明日はBさんの田んぼというように、それぞれの家の田植えを、グループ全員で順番に行っていました。

このように、労働力を出し合って共同作業を行うグループが「結」です。「結」は金銭的な見返りを期待したり、契約を通して組まれるものではなく、お互いに助け合い、協力し合う精神で成り立っていた制度です。

グループ単位での「頼り頼られ」になると、1対1よりもずっと気楽に頼ったり断ったりすることができるようになります。つまり、**関係性が長続きしやすい。**さらに、グループになるということは頼り頼られる相手が増える（ひとりではない）ということでもあるので、**リスクが軽減でき、自分を安定させることにもつながります。**

頼り頼られるグループを築くことは、大きなメリットがあることなのです。

# 10の顔が「あなたらしさ」をつくっている

みなさんは今、たくさんのコミュニティに所属していると思います。コミュニティとは「集まり」のことです。たとえば、家族というコミュニティ、地域というコミュニティ、学校、クラス、部活、塾、習い事、アルバイト先などなど。そして、みなさんはコミュニティごとにちがった役割を持ち、ちがった顔を持っているはずです。家族の中では末っ子だったり、部活ではキャプテンだったり、クラスでは盛り上げ役だったり、アルバイト先ではおとなしかったり。

ときどき「ほんとうの自分はどこにいるんだろう」「いつもどこかウソをついているような気がする」と悩む人がいます。でも、**「ほんとうの自分」なんていない**んです。どれだけ探しても、ひとつの「ほんとうの自分」は見つかりません。仲の良い後輩と楽しく話しているあなたも、緊張してお客さんと上手く話せないあなたも、あなたのほんとうの姿です。仮にあなたに10の顔があるとするならば、そのすべてがあなたなのです。つまり10の顔の総体が「あなたらしさ」を形作っている。

## 新しい出会いが新しい自分を生む

ここから、こんなふうに考えることもできます。「だれでもいつでも『新しい自分』をつくることができる」。新しいコミュニティに飛び込み、新しい人たちとの出会いがあれば、必ず自分の新しい面が顔を出します。そこで発見した新しい自分が、ほかのコミュニティにいるときの自分を変えていくことだってあるでしょう。

僕の例をお話しします。２０１５年にインドネシアのバリ島に住みはじめた僕は、バリという地域のコミュニティに入ることになりました。バリ島では安い家賃でも広くてきれいな家に住めるし、近所の屋台では１００円ほどでおいしい定食が食べられます。お金をたくさん稼がなくても、豊かに暮らしていける。だから、みんな忙しく働かずに、必要最低限のお金とモノで心地よく暮らしています。

そんなバリ島のコミュニティに入ってから、僕の中で「お金よりも大切なことがある」との思いがより一層強くなりました。お金で買えないものを中心に据えて生きていく、という価値観がインストールされたのです。それによって、日本で仕事をするときでも、お金を稼ぐことを大きな目的にはしなくなりました。これはつまり、バリのコミュニティに属したことで生まれた「新しい自分」が、別のコミュニティ（たとえば日本）にいるときの自分にも影響を与えているということです。

そして、新しい自分とのかけ合わせによって、よりよい「自分らしさ」を形作ることができたなら、それを「頼りにしたい」と思ってくれる人も現れるでしょう。**新しいコミュニティに飛び込み、新しい自分へと成長させていくことは、より多くの他者から「頼られる」存在になることにもつながります。**

人はコミュニティごとに異なる役割や表情を持っていて、そのすべてが組み合わさって「自分」を形作っている。だから、新しいコミュニティに所属すれば、新しい自分がつくられる。人から頼りにしてもらえる「自分」が増え、頼れる相手も増える。

「どこかに『ほんとうの自分』が埋まっているかもしれない」と自分探しをすることには意味がありません。どんなコミュニティに所属するのか、どんな人と関わり合うのか、どんなことに取り組むのか。そうしたさまざまな関係性の中で、自分がつくりあげられていくのです。

# 「自立」とはひとりで生きることではない

先ほど、ひとりの仲間に自分のすべてを預けるのは危険だし、5人の仲間は生涯更新していくものだとお話ししました。それと同じように、コミュニティもひとつに依存するのは危険です。**コミュニティは常に複数に所属するようにして、それらを常に更新していくべきなのです。**

ここで、議論をわかりやすくするために、あなたが所属しているコミュニティが「学校」ひとつだけだと仮定してみましょう。

学校には、その学校ならではの規則や価値観があります。たとえば、あなたの学校に「偏差値の高い人がえらい」という価値観が強くあったとします。クラスは成績順で分けられ、大学に入るのは当たり前、より偏差値の高い大学に行くことが生徒たちのゴールだとされている。偏差値というモノサシが絶対的な基準になっているのです。

もしもあなたが、将棋が大好きで、全国大会に出られるほどの実力を持っていても、今の学校ではその価値を認めてもらえません。将棋が強い人より、勉強ができる人のほうがすごいからです。そのうち勉強のために大好きな将棋をやめてしまうかもしれないし、勉強ができないことで自分をダメな人間だと思ってしまうかもしれない。そんな考えを持っているせいで、スポーツで活躍する友人のことを「でも勉強ができなかったら意味ないんじゃない?」と素直に応援できないかもしれません。

このように、所属するコミュニティがひとつしかないと、そのひとつのコミュニティの価値観が「絶対」のものだと思ってしまいます。でも、世の中に「絶対の価値観」なんて存在しません。もしあなたが、将棋教室へ行ったら「すごいね! 大会に挑戦してみない?」と賞賛されるかもしれないし、アルバイトをはじめたら「コミュニケーション能力が素晴らしいね」と認めてもらえるかもしれない。転校したら、転校先の先生から「勉強よりもスポーツに力を入れましょう」と指導される、なんてこともあるでしょう。

**今いるコミュニティの価値観が合わないと感じたときには、別のところへ行けば良い**

**のです。そうすれば、別の価値観を知ることができる。**このことは忘れないでほしいと思います。

## キャラは変えていい

あるいは、こんな経験はないでしょうか？　自分はクラスの中で、まじめでおとなしいキャラクターだと思われている。自分でもそのキャラクターを意識して振る舞っている。けれど実は、芸人さんのラジオを聞いたり、ライブに足を運んだりするほどのお笑いフリークで、そんな自分を表に出したい気持ちもある。けれど、自分のキャラにそぐわない振る舞いをしたら、みんなからイジられるだろう。だからできない。

こんなふうに「キャラじゃないから」と言ってなにかを遠慮したり、諦めたりした経験、きっとだれにでも思い当たる節があるのではないでしょうか。実際、テレビで活躍しているお笑い芸人さんの中にも、そんな中高生時代を過ごしたと語る人は多いものです。

これは、ひとつのコミュニティにおける自分の役割を「絶対」のものだと思っているから生まれる感情です。今いるコミュニティにおける自分らしさが〝正解〟だと思う（もしくは周りからそう思われている）から、それを守らなくてはいけないと思う。

でも、自分らしさに〝正解〟なんてありません。くり返しますが、10なら10のコミュニティにおける10の顔の総体が「自分らしさ」をつくっているのです。どんなコミュニティに所属するのか、どんな人と関わり合うのか、どんなことに取り組むのか、といったさまざまな関係性の中で「自分らしさ」がつくりあげられていく。

**周りから期待される「自分らしさ」や、これまで積み上げてきた「自分らしさ」に違和感を覚えたら、別の「自分」をつくってみる。**それで良いのです。

川の流れをせきとめたら、ゴミが溜まり、次第に川の水は濁っていきます。それと同じように、自分をひとつのコミュニティに閉ざしてしまったら、逃げ場がなくなり、息苦しくなってしまうでしょう。視野はせばまり、成長も止まってしまいます。

反対に、水がとどこおりなく循環している川は澄んでいるように、常に自分を所属するコミュニティの外に開いておけば、やがて自分が心地よくいられる環境が見つかるはずです。

せわしなく世界を飛びまわる僕が言うのだから、間違いありません。世界は広く、コミュニティは無限に存在しています。今はまだ、自分の居場所がないと感じている人でも、**必ず、世界のどこかにはあなたがあなたらしくいられるコミュニティがあるし、一緒にいて心安らぐ仲間がいます。**仲間やコミュニティを常に新しくし続けて、自分にとって心地のよい居場所を探していきましょう。

## きょうだいもTwitterもひとつのコミュニティ

さて、このあたりでこんな反論が聞こえてきそうです。「そうは言っても、自分の周りのコミュニティなんて学校と家族くらいしかないし。どうやって増やせっていうの?」。たしかに、学生と大人では行動範囲もちがうし、生きている世界の広さもちがうでしょう。だからこそ、学校や家族が絶対的なものだと信じてしまうきらいがあるのだと思います。

でも、僕が言っているコミュニティというのは、規模を問わないんです。きょうだいや恋人のような少人数でも、ひとつのコミュニティです。学校の中でも「バスケ部」と「2年1組」と「生徒会」は、それぞれ別のコミュニティだと捉えることもできます。もちろん、新しく習字やダンスなどの習い事をはじめてみるのも良いし、地域のボランティアに参加することなども良い方法でしょう。

それに、インターネットを使えば、コミュニティを増やすことはもっと簡単になります。自分でｎｏｔｅに文章を投稿するのも良いでしょうし、Ｔｗｉｔｔｅｒで一緒にオンラインゲームをする相手を探している人に声をかけてみても良いかもしれません。そうしたちょっとのきっかけで、簡単に同じ趣味を持つコミュニティをつくることができるのです。

また、インターネット上で学校のようなコミュニティを持つことも可能です。有名なところだとＭＯＯＣｓ（ムークス）（マッシブ・オープン・オンライン・コース）というサービスがあります。これは、インターネットに接続するだけで、だれでも無料で、ハーバード大学、マサチューセッツ工科大学、スタンフォード大学など世界のトップ大学の講義を受けることができるシステムです。ビデオ講義が基本となっていますが、受講生同士のディスカッションや講師への質問の場などが設けられている講義もあり、積極的に活用すれ

## 複数のコミュニティに所属する

ば、同じ目標を持つコミュニティに参加することができるでしょう。

どの方法にしても、コミュニティを増やす第一歩は、自分で動いて、自分から飛び込んでみる以外にありません。外の世界に踏み出すのは勇気がいるし、怖いと感じる人もいるでしょう。でも、新しい世界を知ることは、とても刺激的で楽しいです。それに、外のコミュニティへ足を踏み入れてみれば、もっと楽しい毎日や、もっと夢中になれることが待っているかもしれないのです。

当然、失敗する可能性もあります。「勇気を出して入ってみたけれど、わたしには合わなかった」と残念に思うこともあるでしょう。けれど「合わないかも」と思ったら、また別の場所を探せばいいだけです。

そうやっていくつものコミュニティを行き来しながら、更新を重ねて、自分にフィットする場所を探していけばいいのです。

## ひとつでいいから遠くのコミュニティも持とう

ただし、ひとつだけ注意してほしいことがあります。複数のコミュニティを〝すべて〟近しいもので構成するのは、少し危険です。

「バスケ部」と「2年1組」と「生徒会」は3つのコミュニティです。でも、すべて「学校」という同じコミュニティの中のものでもある。ということはそれぞれでちがう仲間がいたとしても、「偏差値の高い人がえらい」という価値観は共通しているかもしれません。すると結局、ひとつの「絶対」に縛られてしまう可能性があります。

だから、ひとつだけでも構わないので、遠く離れたコミュニティも持てると良いと思います。

ルール1でこんな話をしたことを覚えているでしょうか。友だちにプレゼントをあげるより、初めて会う人や歳の離れた人にプレゼントをあげるほうが難しい。しかし、そういう自分から〝遠い〟存在にプレゼントをあげるほうが、ずっと自分の視野を広げることができる。そんな「ギブ」についての話です。

これと同じように、コミュニティを遠くに持つことができれば、まったく新しい価値観を知ることができ、新しい仲間や新しい自分に出会うことができます。視野はぐんと広がるし、もしかするとすごい化学反応が起こるかもしれません。

それに、コミュニティを遠くに分散させていると「こっちがダメになっても、こっちは大丈夫」という安心感が生まれます。たとえば、日本だけでなくアメリカにもひとつコミュニティを持っていれば、もしも日本という国が立ちゆかなくなったときだって頼る場所があることになります。遠くのコミュニティを持つことで、いっぺんにすべての頼りを失うという最悪のシナリオを避けられるのです。

## 「自立」とは、自分にとっての正解を見つけること

コミュニティを複数持つことができれば、常にいくつかの価値観に触れることになります。すると、どんなときでも「絶対なんてない」と実感できるようになる。そして、複数のコミュニティの価値観や自分の役割がかけ合わさって、「自分自身の考え」が形

成されていくでしょう。つまり、ひとつのコミュニティの価値観に縛られたり、なにかの言いなりになったりせずに、自分で「自分にとっての正解」を見つけられるようになるのです。

僕は、これこそが「自立」だと思っています。だれにも頼らず、1人で生きていくことを自立と呼ぶのではなく、**複数のコミュニティに属し、その中で自分を安定させることが「自立」している状態**だと思うのです。

頼り頼られる仲間をつくり、自分が関わるコミュニティを常に更新していく。人とのつながりを大切にして、そのつながりの輪を広げていくことで、ほんとうの意味で「自立」することができるのだと思います。

ルール
3
PARTY

## まとめ

● 信頼と信用のちがい

頼るのは人間性を信頼している証

●「頼り頼られる仲間」になるために

見返りを求めないギブを積み重ねよう

● 持続的な関係は「NG」から生まれる

断りやすい空気をつくっておこう

● ほんとうの仲間が5人いればいい

フォロワーや人脈の数より「質」を求めよう

● 頼り頼られるグループをつくる

みんなで補い合うから長続きする

● 10の顔が「あなたらしさ」をつくっている

だれでもいつでも新しい自分をつくれる

●「自立」とはひとりで生きることではない

複数のコミュニティに所属し、自分の正解を見つけよう

人とのつながりを増やし、深める方法がわかったところで、次のルールでは「仲間づくり」のゴールについて、さらに考えを深めていきます。仲間と共に、これからの社会を生き抜いていくためにはどうすればいいのか。どんな考え方が、あなたの強みを生みだすのか。

さあ、このまま最後のルールに進んでいきましょう。

# ルール　4

ちがいを楽しもう

ルール3では「頼り頼られる仲間」について考えてきました。関係を持続させるポイントや、たくさんの人とのつながりの中でこそ「自立」することができるという考え方などをお伝えしました。

その中で、仲間になりたいと思う人がまだ見つからないときは「世界への『情報のギブ』をしてほしい」という話もしました。世界へのギブとは、インターネットなどを使って、自分の好きなことをあてもなくたくさんの人に対して発信することです。そうすれば、あなたの〝好き〟に共感する人が集まってくる。そこから仲間をつくることができる、という内容でした。

では、仲間づくりの理想とは、そうやって「似たものどうし」の集まりをつくることなのでしょうか。答えはノーです。むしろ僕は、「ちがい」を受け入れ、それを楽しむことが仲間づくりのゴールだと思っています。

「ちがい」といえば、ルール2でも登場しました。覚えているでしょうか？

## ちがいを楽しもう

「みんなとちがうところ」こそが、あなたの人間的な価値なのだという話です。

このルール4では、そんな「ちがい」について、考えを深めていきたいと思います。

なぜ「似たものどうし」の仲間だけではダメなのか。どうすれば「ちがい」を受け入れることができるのか。また、どうすれば「ちがい」を認め合う仲間をつくり、「ちがい」を楽しむことができるのか。

最後に紹介する第4のルールは、「ちがいを楽しもう」。キーワードはDIVERSITY（ダイバーシティ）（多様性）です。

## 「ちがい」がある集団の強さ

みなさんは献血をしたことがありますか？　献血とは、病気やけがで輸血が必要な人のために、健康な人が自発的に血液を提供すること。16歳になると、２００㎖の献血ができるようになります。

献血のときに大切なのが、血液型です。仮にあなたがＡ型だった場合、あなたの血液をＢ型の人やＯ型の人に輸血することはできません。たとえＡ型の血液がどれだけ大量にあったとしても、Ｂ型の患者もＯ型の患者もＡＢ型の患者もだれ一人救えないのです。多くの命を助けたいと思うなら、すべての血液型の血液を準備しておく必要がある。これが献血の大原則です。

これは、人間関係に置き換えても同じことが言えます。自分と同じ価値観、同じ世代、同じ性（ジェンダー）、同じ国籍など、似たものどうししかいない集団（同質化集団）はどうしても弱くなります。A型の血液がたくさんあっても、そのほかの血液型の患者の前ではどうしようもないように、似ている人ばかりで集まってしまうと、対処できないトラブルが多くなるからです。

ものづくり大国としての日本が、国際情勢の変化に対応できなかったのも、日本が過度な同質化集団であることに原因があったものと思われます。日本の人びとは同質性の高い村社会で生活をしてきました。だから、みんなが個性を消して、ひとつの〝正解〟に向かって一生懸命モノをつくり続ける戦い方は得意だった。しかし、似たものどうしの集団は、前に進む力は強くても、横からの揺さぶりに弱いんですね。世界の急激な変化に対応できずに、ものづくり大国としての日本は、影をひそめるようになりました。

逆に、バラバラの人間が集まると、あらゆる問題に対応できるようになり、大きな変化が起きたとしても前に進んでいけるようになります。

たとえば、漫画『ONE PIECE』（尾田栄一郎・集英社）の麦わらの一味。主人公ルフィのもとに集まったのは、剣士ゾロ、航海士ナミ、狙撃手（そげきしゅ）ウソップ、コックのサンジ、トナカイで船医のチョッパー、考古学者ロビン、サイボーグで船大工のフランキー、ガイコツで音楽家のブルック、魚人で操舵手のジンベエ。戦い方や役割、種族もバラバラの9人です。いくら戦闘力が高くても、剣士だけの海賊団だったら、上手く航海できないかもしれないし、病に悩まされたりするかもしれない。ちがう個性が集まっているからこそ、どんな島に行っても冒険を楽しめて、強大な敵に立ち向かうこともできる強い一味になっている。

このように、**集団にダイバーシティがあるということは、いくつもの強みを持った集団であるということ**なのです。

## 発明も研究も、ちがいの集合から生まれる

現実の世界でも、バラバラの人材が集まったからこそ強さを発揮している組織があります。たとえば、アメリカのマサチューセッツ州にあるＭＩＴメディアラボ。ノーベル賞受賞者を96人も輩出している名門・マサチューセッツ工科大学（ＭＩＴ）に設置された研究所です。

このＭＩＴメディアラボにいる人の過半数は、自閉スペクトラム症などの発達障害を持っているという話を聞きました。一般に発達障害はハンディキャップのように考えられがちですが、ほかの人にはできない非凡な才能を持っている場合があります。非常に高い集中力を持っていたり、記憶力に優れていたり。どんな才能を持っているのかは、一人ひとり異なります。

ＭＩＴメディアラボにはアートやサイエンス、テクノロジーなどにまつわる24の研究分野があり、その境界を超えて、さまざまな共同研究が行われているのが特徴的です。そうしたコラボレーションによって、世界にインパクトを与えるようなイノベーションが数多く生まれています。

それを叶えているのは、バラバラの特性を持った人たちが集まっている環境があってこそ。ともすれば世間からは「はみ出し者」扱いされる人びとが集い、力を合わせているからこそ、世界をリードする研究所になっているのです。

日本では、発達障害などの特性を「障害」と呼び、「治療」されるべきものだという社会通念が強くあります。ですが、ＭＩＴメディアラボが示すように、その「ちがい」はほかの人が成し得ないことができるという長所にもなりえるのです。これらの特性も、組織が強さを発揮するためのバラバラの1ピースに過ぎないと僕は思います。
海外では、発達障害などを神経や脳の個性のひとつだと捉え、多様性として受け入れる「ニューロダイバーシティ」という考え方が、広く普及しはじめています。

さらに、バラバラの人たちの力を組み合わせることは、新しいモノを生みだす際にも有効です。価値観の似ている人たちでは、発想のベースが似てしまう可能性が高い。一方、それぞれ異なる視点を持っていれば、多彩なアイデアが出てくるでしょう。物事をいろんな角度から試したり検証したりすることもできるようになります。

たとえば、鎖国をしていた江戸時代、日本人のほとんどは牛肉や豚肉を食べませんでした。高級品だったからではなく、牛や豚を食べることは禁忌とされていたからです。しかし開国してたくさんの外国人が入ってくるようになると、少しずつ肉食の文化も根づいていきました。すき焼きやとんかつ、コロッケなど「和食」だと思っている食べ物の多くも、「ちがう」人たち（外国人）との交わりがあってこそ生まれたものなのです。

**似ていない人たちが集まり、お互いの強みを交換し合うことで、まったく新しいモノを生みだすことができます。**

お互いのちがいを認め合って、お互いを尊重する。苦手を補い合い、得意を活かし合う。そんなふうに千差万別な人の力をかけ合わせることによって、強いチームになれる。つまり、似たものどうしで集まるよりも、より多様な人たちとつながり合ってこそ、「頼り頼られる」関係性の良さを最大限に発揮することができるのです。

# それぞれの〝正しい〟を受け入れる

「みんな一緒」よりも「みんなちがう」集団のほうが強い。言い換えるなら、個人は「みんなと一緒」であるよりも「みんなとちがう」人間であるほうが価値がある、ということでもあります。

幼い頃から僕は、周囲から浮いた存在で、あまり友だちがいませんでした。「みんなと一緒」であることが苦手だったからだと思います。でも、さまざまな本を読んだおかげで、本の中には、共感できる考えや自分の心に響く言葉を持つ人たちがたくさんいることがわかりました。世界のどこかには仲間がいる。そう思うことで、「ここにいるみんな」とちがうことに落胆せずにいられたのです。

その結果、自分を曲げることなく、「みんなとちがう」ままに育ちました。そして、人とちがう考え方やものの見方を持ち続けたからこそ、今の僕があるのだと思っています。

こんな話を聞いても、実際に自分がなにか「みんなとちがう」ことをするのはとても勇気がいるものですよね。たとえば、「みんなとちがう」進路を希望したら、先生から「それはやめたほうがいい」と否定されるかもしれない。「みんなとちがう」意見を言ったら、友だちから「空気読んでほしいよね」と白い目で見られるかもしれないし、「みんなとちがう」新しいことをはじめたら、クラスメイトに「なんか頑張ってるよね」と笑われるかもしれない。実際に、「みんなとちがう」行動を取って、親から「恥ずかしいからやめなさい」と叱られた経験がある人もいるでしょう。「みんなとちがう」ことをする前に、そんな批判の声が頭をよぎるせいで、怖いと感じてしまうのだと思います。「みんなとちがう」ことに価値があると頭でわかっても、「怖い」という気持ちがある限り、実行に移すことはできません。どうすれば、この恐怖を乗り越えられるのでしょうか。

## 相手も正しいし、自分も正しい

先日、こんなことがありました。家族で映画を観に行った後に、「あのシーンのカメラワークがすごかったね」と話したら、妻と娘から「全然観てなかった、そんなシーンあったっけ？」と言われたのです。そして妻は「主人公の愛情の深さに涙が出た」と感動し、娘は「あの登場人物の衣装がオシャレだった！」と語っていました。３人とも同じものを見たにもかかわらず、それぞれちがう部分に注目していたということです。

みなさんも、同じような経験がありませんか？　たとえば、友だちと一緒にライブに行った後に、「あの曲、ＣＤとアレンジがちがったね」と話したら「気づかなかったな」と言われたり。学校で講演会を聞いた後に、クラスメイトと話したら、お互いに覚えているエピソードがまったくちがったり。

こんな現象が起こる要因は、人間の脳にあります。実は、**僕たちの視界に入っているモノの中で、脳が「見た」モノとして処理するのは、全体のたった3割程度**だと言われているのです。つまり、残りの7割は、目で見ている（視界に入っている）はずなのに、脳では「見た」ことになっていない。ほぼノイズ（雑情報）として処理されます。

視界に入ったモノの中で、なにを3割の「見た」モノとして処理するのかは、人によって異なります。だから、同じモノを見ていたはずなのに「見ていなかった」「ちがうモノを見ていた」という事態が頻発するのです。人間は、自分が見たいものだけを選んで、〝見て〟いる（見たことにしている）のだと言えます。

では、その「3割」はどのように選別されるのでしょうか。「自分が見たいものだけを選んでいる」と言っても、自ら意識して「7割」も見落とそうとしている人はいないはずです。

それは、自分がなにを好きか、なにを考えているのか、どんな知識を持っているのか、など今の状況（判断基準）によって無意識に決められています。

もっと言えば、そこには先天的な特徴も影響します。たとえば文字情報のほうが目に入りやすい人がいたり、映像が頭に残りやすい人がいたり。色が多彩に見える人もいれば、遠くの小さな音まで敏感に耳に入ってくる人もいます。

先ほどの例で言えば、僕は映画のカメラワークに関心があったから、カメラワークが「3割」の中に割り振られたのでしょう。そして同時に、衣装などは「7割」のほうに割り振られた。

だからといって、妻や娘から、ストーリーや衣装の話をされたときに「ストーリーは微妙だった」「衣装なんて興味ない」と否定することはありません。「カメラワークに注目したほうが絶対におもしろいよ！」と自分の考えを押しつけることもしません。ただ「たしかにそういう楽しみ方もあるよね。僕はカメラワークに注目したんだよ」と、お互いのちがいをそのまま受け入れる。なぜなら、お互いに〝見て〟いるモノがちがっただけで、だれかが間違ったモノを見ているわけでも、間違ったことを言っているわけでもないから。**同じモノを〝見る〟必要もなければ、同じ感想を抱く必要もない**とわかっているからです。

人それぞれに〝見て〟いるものがちがい、判断基準もちがう。だから、そこから生みだされる言葉や行動もまったくちがうものになる。これは当たり前のことです。ここで

## 同じモノを見ても感じ方は人それぞれ

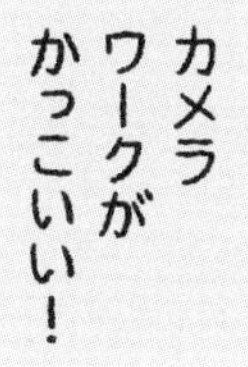

脚本がすばらしい！

役者さんの衣装がステキ！

相手も正しいし、自分も正しい

大切なのは「相手も正しいし、自分も正しい」ということ。カメラワークを見る人も、ストーリーだけを見る人も、衣装を見る人も、だれも「間違い」ではありませんし、「カメラワークを見なくてはならない」という〝全員にとっての正解〟も存在しないのです。

## 「みんなとちがう」恐怖を乗り越えるカギ

「『みんなとちがう』ことをするのは怖い」という恐怖心を乗り越えるカギはここにあります。

恐怖心を抱く原因は「だれかに批判されるかもしれない」という思いでした。でも、批判は「あなたはダメだ！」とあなた自身を否定しているわけではないのです。ここで、改めて批判の言葉について考えてみましょう。

たとえば、大人たちの言う「やめなさい」という批判には、「（俺の中の）正解はこっちだ。そっちを選ぶのをやめて、〝正しい〟ほうを選びなさい！」という要請が隠れています。友だちが「空気読んでよ」と批判するのには、「わたしはこう言うのが当然だと思う。〝正しい〟ことを言わないなんて変だよ」という要請が隠れている。

つまり批判の言葉は「あなたもわたしと一緒の意見を持ちなさい」と言っているようなものなのです。

しかし、**人間の価値は「みんなとちがうところ」に宿るものです。**一緒の意見を持つことになれば、あなたの価値も相手の価値も失われてしまう。なにより、同質性の高い、弱い集団になってしまう可能性があります。

だから、相手の〝正しい〟は「相手の意見」として認めつつも、その批判（要請）にしたがって自分の意見まで変える必要はありません。「そうなんだ。僕はカメラワークに注目したんだよね」というように、お互いのちがいを受け入れ、お互いの〝正しい〟を尊重し合うことが大切です。

## 視点を持ち上げてチームの〝正しい〟を探る

人間はそれぞれ〝見て〟いるものがちがうから、なにを〝正しい〟と思うかもちがう。だから、それぞれの〝正しい〟を認め合うことが大事になる。ここまではわかりました。

しかし、ひとつのチームの中に複数の〝正しい〟意見があるのは、よくありません。だれの〝正しい〟を採用するのか、つまりチームにとっての〝正しい〟意見はどれなのかがわからなければ、チームがどう進んでいけばいいのかを決められないからです。

それに多様性のあるメンバーの集まったチームでは、お互いが持っている〝正しい〟は、一段とバラバラなものである可能性が高い。そうなると、ますますチームとして進むべき道を判断するのが難しくなってしまうでしょう。

どうすれば各メンバーの〝正しい〟を認め合ったうえで、チームとしての〝正しい〟方向性を導き出すことができるのでしょうか。

## チーム内で衝突してしまったら？

たとえば、あなたはサッカー部で攻撃のポジションを担っているとします。あなたは常に「点が取りたい」と考えている。ある日の練習試合で、積極的に何度も攻め上がることができ、あなたは得点を決めました。

しかし、試合が終わった後のミーティングで、守備のポジションのひとりから「守備のことも考えろよ！」と責められてしまいました。あなたは〝正しい〟ことをしたと思っていたので、こう言い返します。「守備も大事だけど、俺はオフェンスだから」。結局、この衝突のせいで険悪なムードのままミーティングは終わってしまいました。

これはまさに「どちらも正しい」パターンです。こんなときは、お互いのちがいを受け入れ、お互いの〝正しい〟を尊重することがとても大切。もっとも、ここで「攻撃陣と守備陣じゃ、〝見えてる〟モノがちがうし、意見がぶつかるのは仕方ないよね。どっちの言い分も正しいよ」と片づけたところで、チームは険悪なままです。問題は解決しません。

こんなふうに、どちらも〝正しい〟がゆえに、衝突してしまうことは、部活だけでなく家庭でも仕事でもよくあることだと思います。どうすれば解決できるのでしょうか。

それは、**「共通の目的」を確認する**ことです。オフェンスのあなたは「点が取りたい」と思ったから攻め上がり続けた。ディフェンスのチームメイトは「点を取られたくない」から守備のことも考慮してほしいと思った。でも、ここで大切なのはもう一段上の部分。そもそも、あなたはどうして「点を取りたい」と思ったのか。そして、どうして彼は「点を取られたくない」と思ったのか。それは「試合に勝ちたい」からですよね。

これが、ふたりの「共通の目的」です。「攻撃 vs. 守備」で対立するのではなく、「自分たちのチーム vs. 相手チーム」という視点で考えることが重要なのです。

「共通の目的」を確認したら、次はお互いが持っているカードを見せ合う必要があります。自分にはどんなスキルがあるのか。自分にはどんな考え方（戦術）があるのか。相手チームのことをどう見ているのか。自分が持っているこだわりはなんなのか。つまり、自分はなにを〝見て〟、なにを考えて（判断基準）、どうしたいと思っているのかを伝え合うのです。

すると、「共通の目的」を達成する（試合に勝つ）ためには、チームとしてどのカードを使うべきなのかが見えてくるはずです。たとえば、今回の相手は攻撃力の高いチームなので守備をしっかり固めたほうがよさそうだ、とか。もしくは、相手の守備力に穴があるから今日は攻撃を重視したほうが良い、という場合もあるでしょう。

これは、自分の考えや自分のこだわりを踏まえて考えられた結果です。だから、たとえ自分が思っていた〝正しい〟選択肢とちがうものになったとしても、納得することができると思います。

チーム内で衝突してしまったら、「そもそもわたしたちはなにがしたかったんだっけ？」と問いかけましょう。**「わたし vs. あなた」ではなく「わたしたち vs. 課題」と考える目を持つ。**そうやって視点を持ち上げられたら、ひとりでは到底実現できないような、大きな目標を成し遂げられるチームになることができます。

# 「ちがいを楽しむ」が強みになる時代

人それぞれ〝正しい〟と思っていることはちがう。複数の人がチームになるときにはいくつもの〝正しい〟の中から、ひとつの方向性を選ぶ必要がある。そのためには「共通の目的」に目を向けると良い、というお話をしてきました。

もうひとつ、他者と協力する場面において大切なことがあります。それは**「相手の価値観を自分ごと化すること」**です。

たとえば、右利きのあなたが、左利きの人にハサミを借りたとします。それは左利き用のハサミだった。使ってみると、持ち手に手を入れづらいし、切っているところが見えにくい。スムーズに切れず、とても不便でした。そこではじめて、普段使っているハサミが右利きの人に使いやすいようにつくられていることがわかりました。

ハサミのほかにも、カッターや定規(じょうぎ)、急須(きゅうす)やカメラなど、主に右利き用につくられている道具はたくさんあります。駅の改札もそうでしょう。一度自分が左利き用の道具を使ってみると、普段左利きの人が、右利き用の道具を使う不便を想像できるようになりますよね。これが「価値観の自分ごと化」です。

価値観を自分ごと化すると、その価値観を尊重できるようになる。もし「左利きの人は少ないんだから、わざわざ左利き用の道具をつくる必要なんてない」という意見を聞いたら、反対の声をあげるでしょう。自分とちがう価値観を、頭ごなしに突き放すようなことはしない。これが、ほんとうの意味で「ちがう価値観を理解する」ということだと思います。

## 「なぜ?」で相手を知り、自分でも体験してみる

ほかの例でも考えてみましょう。

たとえば、新しいクラスで隣の席になった人と好きなバンドが同じだということがわかりました。距離が縮まるきっかけが見つかってうれしくなった。相手が「このバンドっ

て歌詞が最高だよね！」と話しはじめました。けれど、あなたはもともと曲に注目してこのバンドを好きになったので、心の中でこう思います。「歌詞にはまったく共感できないいんだよな……」。

こんなとき、あなたならどうしますか？　正直に自分の気持ちを伝えるでしょうか。もしくは、ほんとうの気持ちを隠して相手に同調するでしょうか。「せっかく仲良くなれるきっかけができたんだから、水を差すべきじゃない」と思う人もいれば、「歌詞が良いとかありえない！　曲の良さを語ってやろう」と息巻く人もいるかもしれません。

僕は、ちがいに目をつぶるなんてもったいないと強く思います。なぜなら、「ちがい」こそがお互いの価値だから。自分の〝正解〟を押しつけることもしません。どちらの「好き」にも〝間違い〟はないからです。

「僕は曲に惹かれたんだよね」と自分の意見を示して、「正直歌詞の良さってあんまりわかんないんだよね」と打ち明ける。そして「どうして歌詞が好きになったの？」と尋ねてみる。**「なぜ」は、相手の考えをさらに深く知るためにとても有用な質問です。**

そして相手の理由を、自分でも体験してみることで「自分ごと化」するのです。たとえば「きっかけになった曲がある」と言われたら、その曲の歌詞を読み込んでみたり、「主題歌になっていた映画を観て好きになった」と言われたら、その映画を観てみたり。

相手の価値観が理解できたら、あなたも、曲だけでなく歌詞も好きになって、そのバンドへの〝好き〟が膨らむかもしれません。クラスメイトの感受性の豊かさを知って、その子のことをもっと好きになる可能性だってあります。

**ちがう価値観を理解することは、自分の視野が広がることに直結します。**だれかとチームを組むときにも、その理解力はとても役に立つでしょう。

なにより、ちがう価値観を理解した経験があれば、ちがう考えを持つ人と出会ったとき、面倒だなと思ったり、衝突したりすることがなくなる。むしろ、その出会いを「おもしろい！」と前向きに捉えて、ちがいを楽しむことができるようになるはずです。

## 世の中は学校よりずっと楽しい

今、みなさんが通っている学校という組織は、同世代で、同じ地域に住んでいて、学力の近い人が集まったコミュニティです。当然そこでつくられる「仲間」は、共通点の多い存在でしょう。ですが、社会にでれば、たくさんの「ちがい」を持つ人たちとチームを組むことになります。会社には、親ほど歳の離れた先輩もいますし、生まれた土地もちがえば、持っている知識や経験、価値観も大きくちがう人たちばかりがいます。国籍のちがう人と一緒に働くことだってあるでしょう。母語や宗教観、生きてきた文化などがちがうと、理解し合うことはもっと難しくなります。

自分とちがう人とコミュニケーションを取るのが面倒だと感じる人や、ちがうことを怖いと思う人にとってみれば、これはとても辛い環境でしょう。そのうち、できるだけ同じコミュニティに居続けることや、同じ仕事、同じ働き方をすることを望むようになるかもしれません。

一方で「ちがいを楽しむ」ことができる人にとってみれば、そんな社会は学校よりもずっと楽しい、最高の環境です。**ちがいを楽しめるということは、どこに行ってもだれとでもチームを組めるということでもあります。**新しいコミュニティに飛び込んだり、新しい仕事にチャレンジしたり、自ら変化を起こしながら、多様な人とチームを組んでいく。どんどん自分の視野を広げ、成長することができるでしょう。

# 「自己中心的利他」で生きる

この章でお話ししているルール「ちがいを楽しもう」。ここまでの話を聞いて「インクルーシブ」という言葉を思い浮かべた人がいるかもしれません。「インクルーシブ」を日本語に訳すなら「包含しているさま。包括的」という意味。「だれも排除されずに、みんなが気持ちよく生きていける社会にしよう」という多様性社会の実現を目指す文脈でよく使われている言葉です。たしかに、この「インクルーシブ社会」という考え方は、ここまでお話ししてきた「ちがいを楽しむ」ことと似ています。

でも、僕は「インクルーシブな社会を実現しよう!」という目標を掲げているわけではないし、「みんなインクルーシブになるべきだ!」と考えているわけでもありません。

僕はただ、ちがいを楽しんだら自分が楽しいからそうしているだけなんです。ちがいに気づくと、自分が成長できたり自分のチームが強くなれたりして、自分にとってうれしいことがあるからやっているだけ。そして、僕と同じように「ちがいを楽しむ」ことができたら、きっとみなさんも楽しく生きていけるだろうと思うから、こうしてお話ししているのです。

**「社会のために」とか「人のために」と大きな視点で考える必要はありません。ただ自分にとって得か否かという「自己中心的」な考え方で生きていけばいい**と僕は思っています。

一般に「自己中心的」という言葉は、あまりよくないイメージを持たれています。実際、自分のことしか考えない人や、ワガママな人間を指して、悪口として使われることが多い表現です。

けれども僕は「自己中心的でいい」と思っている。なぜでしょうか。

たとえば、僕は今、中高生のみなさんに向けてお話しししています。これは「自分の子ども世代の読者とつながりたい」「中高生の声を聞いてみたい」という僕の自己中心的な欲求からスタートしたものです。でも、こうしてみなさんに向けて4つのルールをお話しすることが、もしかしたらだれかの役に立つかもしれない。将来に不安を抱えているだれかが、前を向くきっかけになるかもしれない。

そんなふうに、あくまでも最初は「自分のため」にやっていたことが、結果的に「だれかのため」にもなっている、という事例は数多く存在するものです。ルール3でお話しした「世界への情報のギブ」もそうですね。自分が好きなものについて、「自分のため」に集めた情報を世界へ発信したら、その情報を求めている人に届いて、彼ら、彼女らを喜ばせることができた。

僕はこれを「自己中心的利他」と呼んでいます。利他とは、他者の幸せのために動くこと。自分が楽しいからやる、自分にとって得があるからやる。そんな**自己中心的な気持ちから生まれた行動が、知らぬ間に「だれかのため」にもなっている。**それが「自己中心的利他」です。これは特別なことではなく、どんな場面でもありえることだと僕は思っています。

今はみんなが「自分にとっての幸せ」を追い求める社会です。全員にとって絶対の〝正解〟はないし、物事の価値は個人にとって意味があるかどうかに見いだされている。**ど**

## 「自分のため」が「誰かのため」になる

**んなことも自分の心にしたがって行動するのが〝正しい〟のです。つまり、「自己中心的であること」によって、「自分にとっての」幸せが掴み取れる。**

その「自己中心的」な選択が、他者のためにもなるのであれば、これほど素晴らしいことはありません。本人が幸せになり、かつ周りも喜ぶのです。僕は、この自己中心的利他こそが、ほんとうに「みんな」が幸せになれる道だと考えています。

# 激変する社会を生き抜く心構え

今、世界は激変の最中にあります。

激変する世界に生きることは、常に「知らない」ことに囲まれることを意味します。なぜなら、変化は新しい「知らない」を連れてくるから。そして、僕たちがなにかを「知る」よりも「知らない」ことが増える速度のほうが圧倒的に速いからです。

たとえば、新しい教科書には「知らない」ことがたくさん詰まっていますよね。学校では、その内容をひとつずつ学んでいく。そして、いつか教科書は終わりのページに到達します。ですが、この社会に「終わりのページ」はありません。歳を重ね、どれだけ知識を身につけて経験を積んだとしても、「知らない」ことが尽きることはないのです。

「知らない」問題に直面しつづけるのはストレスがかかるし、不安も大きくなるものです。「知らない」ことの多さに辟易したり、どうしていいかわからないと途中で投げ出したくなることもあるかもしれません。次第に変化を嫌うようになり、新しいコミュニティに飛び込むことも、新しい仲間をつくることもしなくなる、なんてことも考えられます。更新をやめてしまえば、視野がせばまり、成長は止まる。時代の変化についていくことはできなくなるでしょう。

だからこそ「ちがいを楽しむ」ことが大切なのです。これからやってくる未知の世界は「自分が知っているのとちがう世界」というだけのこと。**「ちがいを楽しむ」ことができれば、あらゆる変化も恐れずに、「知らない」に満ちた世界を楽しむことができます。**

僕たちがこれから正解のない社会を生きていくことは、だれにも変えられない事実です。だったら、その環境を楽しいと思えたほうが絶対にお得だと思います。「ちがいを楽しむ」心を手にし、これからの世界を楽しく豊かに生き抜いていきましょう。

ルール
4
DIVERSITY

## まとめ

### ●「ちがい」がある集団の強さ

バラバラの強みが困難を超え新しいモノを生み出す

### ●それぞれの〝正しい〟を受け入れる

脳が認識するものも、判断基準も人それぞれだと知ろう

### ●視点を持ち上げてチームの〝正しい〟を探る

「共通の目的」に立ち返ろう

### ●「ちがいを楽しむ」が強みになる時代

どこに行ってもだれとでもチームを組める

### ●「自己中心的利他」で生きる

本当にみんなが幸せになれる考え方

### ●激変する社会を生き抜く心構え

「知らない」に満ちた世界を楽しもう！

僕らはみんな、自分と相手の共通項に注目しがちです。たしかに共感できる人や考え方に出会うとうれしくなりますよね。でも、本当に大切なのは自分と相手の「ちがうところ」。そこに注目して、そのちがいを尊重できるようになると、あなたの世界は大きく開け、豊かなものになっていきます。「ちがい」を楽しめる人になりましょう！

# おわりに

みなさん、お疲れさまでした。以上で僕からの話はおしまいになります。長かったでしょうか。それとも、短く感じられましたか。

もしかすると、なにか足りないような気がしているかもしれません。それは、幸せのあり方を語っておきながら、お金の話をスルーしているから。

## 「お金の稼ぎ方」がルールに入らない理由

幸せな人生を歩んでいくためには、ベースとなるお金が必要です。どんなに気の合う仲間がいても、その日の食事に事欠くようだったり、快適な住環境が整っていなかったりすれば、幸せだと言い切ることは難しいですよね。

しかも、みなさんは生まれたときから不景気しか経験していない世代です。国の借金は増え続けているし、最近ではパンやお菓子の値段が上がったりもしている。さらには年金がもらえなくなるなんて話を聞いたことがある人もいるかもしれません。そうした状況に不安を覚え、将来のお金の心配をする気持ちはよくわかります。

それでも僕は、みなさんにお渡しするルールブックには、お金の話は必要ないと判断しました。その理由を説明させてください。

生きていくのに、どれくらいのお金が必要だと思いますか？　月に30万円あったら十分でしょうか。サラリーマンの生涯賃金は平均で2・5億円程度とされています。何年か前には、老後には2000万円が必要だというニュースもありました。月額ならともかく、老後に必要なお金なんて中高生のみなさんには想像しにくいですよね。

この問いについて考えるときには、いくつかの条件を考慮しなければなりません。

まず、どこで暮らすのか。たとえば、僕が3年前まで住んでいたバリ島は経済成長の途上なので、平均月収が2万4000円ほどです。しかも、住民たちは1年中そこかしこでお祭りをしていて、収入の多くをお祭りの飲み代などに使っています。でも温暖な気候に恵まれたバリ島では米を育て、にわとりを放し飼いし、バナナやヤシ、マンゴーがいたるところに生えているので、お金がなくても食べるものには困りません。バリ島の人たちはお金を稼ごうとか、自己成長しようという欲求があまりないようです。ただ日々の恵みを神様に感謝し、今を楽しむことを大切に生きている。

僕が良い例ですが、こういう島で暮らしても、ネット環境さえあれば、日本にいるのと同じように働いてお金を稼ぐことができる時代です。オンラインで完結する仕事はとても増えていますから、みなさんにとってもバリ島のような土地で暮らすことは現実味のある未来だと思います。

一方、東京に住めば、家賃がバリ島の数倍かかります。食事のためにはスーパーで食材を買ったり、コンビニでお弁当を買ったりしなくてはならない。バリ島のように1年中Tシャツで過ごすわけにもいかず、衣食住だけでもかなりの金額が必要になります。

次に、だれと暮らすか。ひとりで暮らすか、5人の家族を養うのかでは、必要なお金はずいぶんちがいます。家族のひとりが病気になって、毎月多額の薬代が必要になることだってあるかもしれません。

ただし、大人数で暮らすのが一概に大変だというわけではありません。たとえば、戦前の農家では3世帯以上の大家族が当たり前でした。みんなで家事や仕事を分担し、ひとりあたりの負担を減らしていたわけです。

また、仮にあなたが怪我や病気で働けなくなったとしても、一緒に生活するパートナーの存在があれば、支え合って生きていけるでしょう。

さらに、社会システムや経済システムの変化も重要です。たとえば、みなさんはグーグルを使ったことがありますよね。あんなに便利な検索サービスをタダで使えるなんて、不思議だと思いませんか？　実はそのとき、みなさんはグーグルに貴重な対価を支払っています。それは、みなさんが入力している検索ワード。つまり「情報」です。

グーグル社は「この人は、今こんな情報に関心を持っているんだな」と理解し、そのデータを蓄積しています。そうして蓄積されたデータが、彼らの利益や新しいサービスを生み出すことにつながっているのです。

それと同じように、グーグルのつくった家に住み、グーグルのつくった車に乗って、グーグルのつくった食べ物や服を利用して、代わりに様々なデータを提供すれば、衣食住がタダになる、なんて時代がくるかもしれません。

当然、お金を獲得する方法も移り変わっていくでしょう。今は高額な給与をもらえている職業でも、10年経てばＡＩに取って代わられているかもしれない。逆に、今はあまり人気のない仕事でも、10年後には需要が高まっていることも考えられます。つまり、今お金を稼ぐ方法を本に記したとしても、みなさんが社会に出る頃には、すでに通用しなくなっているのです。それではルールブックの意味がありません。

さらに、もうひとつ。ここまで本書を読んでくださったみなさんならおわかりのように、これからの時代に幸せの「正解」はありません。一人ひとりが自分の価値観にしたがって、自分なりの幸せを追い求めていく時代です。

東京に住みたいと思う人もいれば、世界中のあちこちに住んでみたいと思う人もいる。ひとりで暮らすのが心地いい人もいれば、大勢で過ごすのが大好きな人もいる。お金が稼げなくても好きなことを仕事にしたいと思う人もいれば、好きなことは趣味にして効率的にお金を稼げる仕事がしたいと思う人もいる。幸せのかたちが画一的だった時代とちがい、平均的な生涯賃金を基準にして人生設計することが意味をなさなくなってきています。

だから僕は、お金を稼ぐ方法が、これからの社会を生き抜くためのルール（指針）として採用するのにふさわしいとは思えなかったのです。

一方で、このルールブックでお伝えした4つは、変化の激しいこの時代においても不変のルールだと自信を持って言えます。これから先何年後でも、どんな人にとっても、大切な指針になるはずです。

他者にGIVEすることで、信頼関係のきっかけをつくることができ、自分を成長させることができる。

自分のOPINIONを育てれば、自分を知り、自分を知ってもらい、人間的な価値を得ることができる。

頼り頼られるPARTYを手に入れたら、人との関係性の中で、真の意味で自立することができる。

DIVERSITYを楽しめば、集団としての強さを手にし、正解のない社会を楽しく豊かに生きていくことができる。

自分はギブをしているか。自分の意見を表明できているか。5人でいいから、ほんとうの仲間がいるか。そして、人それぞれのちがいを楽しめているか。

折に触れて、見つめ直してほしいと思います。

## 大人の条件

最後にひとつだけ、みなさんに質問させてください。

みなさんは自分のことを「まだ子ども」だと思っていますか？ それとも「もう大人」だと思っていますか？ 中高生にとって、これは難しい問いだと思います。ある場面では「もう子どもじゃないんだから、しっかりしなさい」と叱られて、また別の場面では「子どものくせに生意気言わないで！」と叱られたりする。大人たちの都合によって、大人扱いされたり子ども扱いされたりする、とても不安定な年代だと思います。

じゃあ、そもそも大人ってどういう人のことを指すのだと思いますか？ 成人年齢に達していたら大人なのでしょうか。働いていたら？ ひとり暮らしをしていたり、税金を納めていたら？

僕の考えはちょっとちがいます。僕が考える「大人の条件」は、次の2つです。

・自分の得意なことで、だれかに「ありがとう」を言ってもらえる人
・自分の足りないところを、だれかに頼ることができる人

本文でも説明したように、僕たちは自分ひとりだけで生きていくことなど、絶対にできません。どんなに優秀な人でも、どんなに腕っぷしに自信のある人でも、どんなにお金持ちでも、必ず他者と関わりながら生きている社会的な生きものです。

そこで大切になるのが、他者とどんなふうにつながっているか。「自分の得意なこと」を、他者を打ち負かす武器として使っている人は、強くはあっても「大人」だとは言えません。また「自分の足りないところ」を素直に認めず、隠したりごまかしたりしている人も「大人」だとは言いにくい。得意なことで他者から感謝され、助けを求めたときには喜んで力を貸してもらえる。そういう人と支え合える環境が整った人こそが、ほんとうの「大人」なのだと僕は思います。

さて、みなさんはまだ成人年齢に達していません。お酒を飲むことも、自動車の免許を取ることもできない年齢です。しかし、自分の得意なことを活かしてだれかに「ありがとう」を言ってもらうことはできる。自分の足りないところを認め、仲間を頼ることもできる。つまり、大人になるための条件は、もうすっかり整っているのです。

成人式を迎えたら大人、働いてお金を稼いだら大人、という時代は終わりました。生き方や働き方の定義が変わったように、大人の定義も変わったのです。

みなさんはこれから、「まだ子どもだから」とだれかの言いつけを守るだけの人生を選ぶこともできます。一方で「もう大人だから」と自分オリジナルの人生を選んでいくこともできます。どちらを選ぶのかは、みなさん自身です。

もしもみなさんがひとりの「大人」として、自分の人生を選んでくれたなら、そんなにうれしいことはありません。

そして自分の道を歩もうとしたとき、きっと本書で紹介した4つのルールが役立ってくれるでしょう。僕はそう信じています。

２０２３年２月　尾原和啓

## 尾原和啓（おばら・かずひろ）

1970年生まれのIT批評家。灘高等学校、京都大学を経て、京都大学大学院工学研究科応用システム専攻人工知能論講座修了。マッキンゼー・アンド・カンパニーにてキャリアをスタートし、NTTドコモのiモード事業立ち上げ支援、リクルート（2回）、ケイ・ラボラトリー（現:KLab、取締役）、コーポレイトディレクション、サイバード、電子金券開発、オプト、Google、楽天（執行役員）の事業企画、投資、新規事業に従事。

経済産業省対外通商政策委員、産業総合研究所人工知能センターアドバイザー等を歴任。現職は14職目。シンガポール、バリ島をベースに人・事業を紡ぐカタリストでもある。ボランティアで「TEDカンファレンス」の日本オーディション、「Burning Japan」に参加するなど、西海岸文化事情にも詳しい。

著書に『プロセスエコノミー』、『モチベーション革命』（幻冬舎）、『どこでも誰とでも働ける』（ダイヤモンド社）など。小学生の頃は友だちがおらず、本や漫画ばかり読んでいた。趣味は各国の市場・屋台めぐり。高校生の子どもがいる。



**激変（げきへん）する世界（せかい）で君（きみ）だけの**
**未来（みらい）をつくる4つのルール**

2023年3月20日　第1刷発行

著　者　　尾原和啓（おばらかずひろ）
発行者　　佐藤 靖
発行所　　大和書房（だいわ）
　　　　　東京都文京区関口1-33-4 〒112-0014
　　　　　電話 03-3203-4511

構　成　　水沢環（batons）
装　丁　　西垂水敦・市川さつき（krran）
イラスト　アツダマツシ

本文印刷　厚徳社
カバー印刷　歩プロセス
製　本　　小泉製本




ISBN978-4-479-79780-7
乱丁・落丁本はお取り替えいたします。
http://www.daiwashobo.co.jp